D0272449

trucs et astuces de cuisine

Céline Vence

trucs et astuces de cuisine

avec la complicité de
Blandine Marcadé

FRANCE LOISIRS

Édition du Club France Loisirs
avec l'autorisation de la Société Solar
ISBN 2-7242-5780-4

DES TOURS DE MAIN POUR PRÉPARER

Premier atout de la bonne cuisine

Il n'est pas toujours évident de savoir ce qu'il faut faire subir à un poisson, une viande, un légume ou un fruit avant de les mettre à cuire.

Peler une pomme de terre ne semble pas poser de problème, mais cela est-il vraiment nécessaire ? Parfois, il est préférable de ne pas le faire. Éplucher une crosne ou un ananas, en revanche, est déjà moins simple.

Pour qu'une barbue ou une tranche de jarret de veau ne se déforment pas à la cuisson, encore faut-il savoir que la première doit avoir l'arête brisée et que la seconde doit être « crantée » sur tout son pourtour.

Abaisser d'un seul coup une pâte à tarte en rond ou en carré, monter un sabayon qui ne retombera pas, cela ne s'improvise pas : mieux vaut connaître les secrets de la réussite.

Certes, de plus en plus, les professionnels de la vente

« préparent » pour leurs clients et livrent beaucoup de denrées prêtes à cuire, mais il existe encore de très nombreuses recettes nécessitant des tours de main particuliers.

La preuve, plus d'un tiers des trucs de cet ouvrage concerne les astuces à la préparation qui assureront la réussite.

AGRUMES

• Peler à vif

Pour les agrumes à écorce attenant au fruit (orange, citron), ôter cette dernière avec un couteau, en entamant légèrement la chair, de façon que les quartiers soient à vif.

• Prélever le zeste

Pour prélever facilement le zeste d'un agrume, la partie colorée de l'écorce (la partie blanche, le zeste, est amère et ne doit pas être utilisée), peler le fruit comme une pomme de terre à l'aide d'un couteau économe, en essayant de conserver le zeste en un long ruban.

• Séparer les quartiers

Peler l'agrume à vif, puis glisser la lame d'un petit couteau pointu entre la peau et la chair d'un quartier, sur une de ses faces, jusqu'au cœur du fruit. Procéder de la même façon sur l'autre face pour pouvoir sortir le quartier entier.

Continuer quartier par quartier, en faisant tourner le fruit dans la main au fur et à mesure, puis ôter délicatement les pépins, afin de ne pas briser la chair.

ALCOOL

• Dans un entremets

L'incorporation d'un alcool dans un entremets doit toujours se faire dans la phase finale de préparation, pour que sa saveur ne soit altérée ni par l'humidité de la préparation ni par l'évaporation des arômes subtils.

• Liqueur maison

On a souvent des fonds de liqueur ou d'eau-de-vie : pourquoi ne pas les réunir dans une même bouteille ? Commencer par mélanger, à parts égales, une liqueur à base d'orange (Grand Marnier, curaçao ou triple sec, Cointreau), du rhum ambré et une eau-de-vie au choix (de vin ou de grain), puis introduire une ou deux gousses de vanille.

Compléter avec les restes d'eau-de-vie (de préférence vieillie en fûts) et de liqueur (en évitant les liqueurs d'herbes).

C'est ainsi que procède Blandine pour avoir toujours sous la main un alcool qui lui sert à imbiber les gâteaux ou les fournées de crêpes qu'elle prépare souvent. Son secret consiste à y ajouter de temps en temps, lorsque le contenu de la bouteille devient sirupeux, un peu d'eau-de-vie pour rétablir l'équilibre.

AMANDES

• Pour ***casser*** des amandes dont la coque résiste à la pression du casse-noix, les faire griller doucement au four ou à la poêle : la chaleur ramollit le bois, qui se laisse ensuite facilement casser. Finies les amandes broyées !

• Pour ***monder*** des amandes décortiquées, les plonger dans une casserole d'eau en ébullition, les retirer du feu dès que l'ébullition reprend et laisser tiédir. Les prélever par petites quantités à la fois et retirer la peau, qui se détache alors aisément.

AMANDES OU NOISETTES

Certaines pâtisseries se préparent avec des amandes ou des noisettes concassées. On peut ***accentuer leur saveur*** en les faisant blondir légèrement, une fois concassées, dans une poêle antiadhésive.

ANANAS

Pour ***éplucher*** facilement un ananas, le tenir par le panache et, avec un petit couteau pointu à lame forte et affûtée, ôter l'écorce en tournant tout autour, comme s'il s'agissait d'une pomme de terre. Sectionner les deux extrémités, puis, avec la pointe du couteau, enlever tous les yeux.

Ensuite, on peut ***couper*** l'ananas de deux façons, au choix : en quatre, dans le sens de la hauteur, en enlevant la partie du cœur dur sur chaque part ; ou bien en tranches, dont on ôtera le cœur dur avec un emporte-pièce du bon diamètre.

ANGUILLE

La petite anguille à griller ne se dépouille pas. En revanche, la plus grosse, à cuire en matelote, doit l'être.

La meilleure façon de procéder consiste à passer une ficelle autour du cou du poisson, en laissant un bout libre pour pouvoir le suspendre à un crochet. Inciser la peau sur tout le pourtour, sous la ficelle, la saisir avec un linge et la tirer vers la queue d'un coup sec. Sectionner la tête sous la ficelle, puis vider et bien laver la cavité ventrale.

• Au vert

Pour préparer l'anguille au vert, il fallait, autrefois, quatorze « affaires », comme disaient les ménagères belges. Aujourd'hui, les cuisiniers y mettent ce qu'ils veulent, à dominante verte. Dommage ! En Belgique, on vend toujours des « paquets d'herbes à anguille », mais y a-t-il encore le compte ? En tout cas, il s'agit d'herbes jeunes : oseille, cresson, épinards, pousses d'ortie blanche, arroche, persil, cerfeuil, estragon, sauge, menthe fraîche, sarriette, citronnelle, romarin et échalote avec ses tiges. Il faut, en principe, de un quart à un tiers d'herbes du poids de l'anguille, avec une dominante, dans la recette des guinguettes d'Anvers, pour l'oseille et le cerfeuil.

ANIMELLES

Un nom pudique pour désigner les « crilladillas » des taureaux espagnols, ou glandes déboursées des testicules d'animaux (taureau ou bélier). En France, on ne trouve, chez le tripier, que des animelles de bélier. Elles sont vendues déjà dégorgées, donc prêtes à cuire, mais il faut les ***parer***, c'est-à-dire ôter la fine pellicule qui les recouvre avant de les cuisiner (compter 100 grammes d'animelles par personne, coupées en tranches que l'on fait revenir à la poêle — après les avoir farinées légèrement — au beurre, à feu vif, 2 minutes de chaque côté).

Au restaurant, les animelles sont appelées « rognons blancs » ou « frivolités ».

AROMATES

En fin de cuisson, il faut souvent retirer d'un plat les aromates qui ont servi à le parfumer, surtout le bouquet garni. Pour éviter d'« aller à la pêche », le plus simple est de les enfermer dans un nouet de mousseline, ou dans une boule de thé, qu'il suffit de sortir au moment voulu.

ARTICHAUTS

Il vaut mieux ***casser la queue***, et non la couper, pour entraîner les fibres dures qui, sinon, seraient restées dans les fonds, au détriment de la dégustation.

ASPERGES

Il est souvent conseillé de les gratter, mais cela ne suffit pas. Il vaut mieux les peler avec un couteau économe, du dessous de la pointe jusqu'au bas du turion, puis couper la base pour éliminer toute la partie fibreuse ou crevassée.

AUBERGINES

• Les jeunes aubergines, de petite taille, dont les graines ne sont pas formées, n'ont pas besoin d'être ***dégorgées*** au sel. En revanche, les grosses doivent l'être, notamment en fin de saison, pour éliminer leur éventuelle amertume.

AVOCAT

Pour ***peler*** facilement un avocat, le chauffer pendant quelques minutes entre les mains : on sera surpris de constater que sa peau s'enlève pratiquement toute seule.

BACS A GLAÇONS

Pour éviter que les bacs à glaçons n'adhèrent au freezer, les isoler avec un morceau de film plastique, en plaçant celui-ci entre le bac et la paroi du freezer.

BAIN DE FRITURE

• Filtrer

Certaines fritures, comme les beignets, s'effilochent plus que d'autres en cuisant. Pour éclaircir l'huile du bain sans la changer, la meilleure technique consiste à la filtrer à travers un filtre à café, qui retiendra toutes les particules carbonisées qu'elle contient.

Pour filtrer un bain de graisse végétale solide à température ambiante (huile concrète), verser deux verres d'eau chaude dans la friture encore liquide. La matière grasse restera en surface, tandis que l'eau s'écoulera au fond de la friteuse, entraînant toutes les impuretés. Lorsque le bain de friture sera figé, il suffira de décoller le bloc de graisse de la paroi avec la lame d'un couteau et de jeter l'eau.

Attention : il ne faut jamais se débarrasser d'huiles concrètes usagées en les vidant dans l'évier ou dans les W.-C. lorsqu'elles sont liquéfiées, car le seul contact de l'eau froide les solidifie, ce qui bouche les canalisations.

• Désodoriser

Pour désodoriser un bain de friture dans lequel a cuit du poisson, lui incorporer 1 cuillerée à soupe de jus de citron lorsqu'il est refroidi.

BAR

Les filets de bar, ***escalopés*** finement en large biseau, sont excellents pour préparer des ***paupiettes*** de poisson.

BARBECUE

Pour que les braises d'un barbecue restent rouges plus longtemps et dégagent moins de fumée, jeter un peu de gros sel sur le foyer.

BÉCHAMEL

Pour éviter qu'une ***peau*** ne se forme à la surface d'une béchamel que l'on doit réserver, beurrer un morceau de feuille d'aluminium du diamètre du récipient sur une face et l'appliquer sur la béchamel.

BEIGNETS

Voir : ***Pâte à beignets ou à crêpes*** (page 48) et ***Pâte à frire*** (page 50).

BEIGNETS DE POMMES

Pour obtenir des beignets bien ***parfumés***, pendant que la pâte repose, faire macérer les rondelles de fruits dans une petite quantité d'eau-de-vie, au choix : armagnac, calvados, cognac ou rhum ambré, additionnée d'un peu de sucre.

Une fois le temps de repos écoulé, et avant d'incorporerle blanc en neige, ajouter

1 cuillerée à soupe de l'eau-de-vie choisie dans la pâte.

Bien égoutter les rondelles de pomme et les éponger soigneusement avant de les plonger dans la pâte, de façon que celle-ci adhère bien.

Voir aussi : ***Pâte à beignets ou à crêpes*** (page 48).

BETTERAVE

Pour ***peler*** facilement une betterave cuite à l'eau, la sortir de l'eau bouillante et la plonger immédiatement dans de l'eau froide : la peau se décollera alors toute seule.

BETTES

Les côtes de bettes sont couvertes d'une fine pellicule sur les deux faces, qu'il faut retirer avant cuisson : il suffit de passer la lame d'un petit couteau dessous et de tirer.

BEURRE

• Si le marché a été un peu long, ou si le beurre a été transporté dans une voiture, il a ***ramolli***. Ne jamais essayer de le sortir de son papier d'emballage dans cet état : ce serait du gâchis ; le mettre simplement au réfrigérateur et, dès qu'il sera resolidifié, le papier se retirera tout seul.

• Pour que le beurre ait la ***consistance*** désirée au petit déjeuner et qu'il puisse s'étaler facilement, le sortir du réfrigérateur la veille au soir. Pour une présentation raffinée, prévoir de petits beurriers individuels à couvercle.

• Fini le beurre trop dur à étaler et le miel qui coule ou cristallise : pour les inconditionnels de la tartine beurrée au miel du petit déjeuner ou du goûter, malaxer ces deux ingrédients à la fourchette dans un beurrier réservé à cet usage : c'est délicieux et cela se tartine tout seul.

BEURRE D'ESCARGOTS

Ne pas oublier que ce n'est pas seulement un mélange beurre-ail-persil : il faut ajouter une pointe d'échalote pour lui donner sa saveur particulière.

BISCUIT

• Pour ***couper*** un biscuit tel que génoise ou biscuit de Savoie en tranches horizontales, afin de le fourrer, attendre qu'il soit complètement refroidi et utiliser une scie à pain à dents fines.

• Pour préparer un ***biscuit roulé***, à la confiture par exemple, ou une bûche, le poser sur une grille à la sortie du four et le couvrir d'un linge assez épais : en refroidissant, il restera souple, et pourra ainsi être roulé facilement.

• Ne jamais ***imbiber*** un biscuit d'alcool pur, mais couper celui-ci avec le même volume d'eau, de sirop de fruits, de café ou d'un autre parfum, selon la recette.

• De Savoie

Pour obtenir un biscuit très léger, remplacer la moitié de la farine par de la fécule de pomme de terre.

BISCUITS SECS

Pour rendre leur ***croquant*** à des biscuits secs qui ont ramolli (boîte entamée, par exemple), les ranger en étoile sur une assiette tapissée de papier absorbant, les couvrir d'une feuille de papier absorbant et les passer au four micro-ondes pendant 1 minute à 70 p. cent de la puissance.

BISQUE

Une bisque doit être onctueuse. Si elle est trop claire, on l'épaissira en la passant au mixeur avec du riz à grands ronds à la créole, à raison de 25 grammes par litre. Veiller à ne pas en ajouter trop, pour ne pas modifier la saveur de la bisque.

• En conserve

Une bonne bisque en conserve peut être utilisée, sans l'allonger d'eau, dans un fond de cuisson pour crustacés, ou encore pour préparer une sauce destinée à accompagner ces derniers (crêpes farcies aux langoustines par exemple).

BLANCS D'ŒUFS EN NEIGE

• Monter les blancs

Passer le récipient sous l'eau froide, sans l'essuyer, avant de commencer l'opération : une fois montés en neige, les blancs d'œufs se détacheront d'un bloc.

Pour qu'ils montent bien, séparer parfaitement les blancs des jaunes, car la moindre trace de jaune pourrait compromettre l'opération, et utiliser un récipient sans aucune trace de gras : pour plus de sûreté, frotter l'intérieur avec un morceau de citron et bien essuyer.

Pour leur donner une meilleure tenue, incorporer un filet de jus de citron en les travaillant.

• Incorporer les blancs à une préparation

Pour éviter qu'ils ne tombent, procéder cuillerée par cuillerée au début, en les enrobant de mouvements larges et ronds, sans les écraser. Ajouter le reste en continuant à enrober la masse neigeuse et en tournant toujours délicatement. La préparation ainsi obtenue sera plus aérienne, et moins compacte en cas de cuisson.

BLEU (CUISSON AU)

Voir : ***Poisson*** (pages 53 et 103).

BŒUF EN BARQUETTE

Si on désire garder au réfrigérateur du bœuf ainsi conditionné (24 heures au maximum), veiller à ce que du sang ne se soit pas écoulé dans la barquette, car il s'altère très vite. Dans ce cas, il faut déballer la viande et la réemballer sous film étirable.

BOUILLON

• Clarifier

Pour rendre limpide (clarifier) un bouillon qui comporte de petits fragments d'aromates en suspension, ou des restes d'écume, battre un blanc d'œuf en neige légère, puis l'incorporer au bouillon très chaud et filtrer celui-ci au chinois ou à travers une fine mousseline à beurre.

• Colorer

Pour donner une jolie couleur à un bouillon trop clair, pourquoi ne pas y délayer un caramel, préparé avec un morceau de sucre et un peu d'eau ?

• Dégraisser

Lorsqu'on n'a pas le temps de laisser figer un bouillon pour le dégraisser, poser des feuilles de papier absorbant à la surface, puis les retirer à l'aide d'une écumoire. Recommencer jusqu'à ce que tout le gras ait été absorbé. Le papier éponge « Home-Cel » posé à la surface est parfait pour cet usage.

BOUILLON DE VIANDE

L'une des propriétés du sel étant de faire sortir le sang et les sucs de la viande, n'ajouter celui-ci qu'en cours de cuisson, une fois les protéines coagulées.

• Privilégier le bouillon

Si on met la viande dans de l'eau froide (avec les aromates voulus), ses sucs vont sortir pendant le temps d'échauffement de l'eau, enrichissant ainsi le bouillon et lui donnant le maximum de saveur.

Dans ce cas, la viande sera moins goûteuse et un peu plus sèche. On pourra la réserver pour des préparations à base de viande bouillie.

• Privilégier la viande

Si on introduit la viande dans l'eau (avec les aromates) lorsque celle-ci est en pleine ébullition, la chaleur va coaguler immédiatement les protéines à sa surface, et les sucs vont rester bloqués au sein des fibres : la viande sera donc juteuse et savoureuse, mais le bouillon moins concentré.

• **Bouillon et viande parfumés**

Pour obtenir un bon bouillon et une bonne viande, préparer le premier la veille, avec des os (sans moelle), des crosses, des charolaises, etc., et tous les aromates nécessaires. Le jour même, enlever les os du bouillon (ils feront le bonheur des chiens), passer celui-ci au chinois et le porter à ébullition avant d'y plonger la viande.

• **Recette rapide**

Il est possible de préparer rapidement un bouillon de viande. Il suffit d'ajouter aux aromates et aux légumes choisis, que l'on râpera :
• du steak haché pour un bouillon de bœuf ;
• de l'épaule hachée pour un bouillon de veau ;
• de la chair de cuisse hachée sans la peau pour un bouillon de volaille.

Porter à petite ébullition pendant 30 minutes, puis passer au chinois : le bouillon est prêt. On peut le consommer tel quel, en l'assaisonnant, ou l'incorporer à un fond de cuisson.

BRAISÉ

Préparer un braisé pour le soir même quand on rentre du travail relève, bien sûr, de la gageure. En revanche, rien n'empêche de le cuire aux trois quarts un jour où l'on dîne léger. Le lendemain, le temps de cuisson qui reste paraîtra très court.

Cette façon de procéder en deux fois, pour les plats qui demandent une longue cuisson, permet de les programmer même lorsqu'on dispose de peu de temps.

BRANDADE

La véritable brandade ne comporte pas de purée de pommes de terre : si l'on en met, ce n'est plus la recette d'origine, mais de la « morue bénédictine ».

BRIKS

Les feuilles de brik, ou breiks (leur nom tunisien), sont très fragiles : il faut les manipuler délicatement. Pour les farcir sans les briser, poser chaque feuille sur un linge humide avant de déposer la garniture.

BRIOCHE

*Voir : **Pâte à brioche***
(page 49).

BRIOCHES OU CROISSANTS RASSIS

Ils redeviendront moelleux si on les passe quelques secondes au micro-ondes, en prenant soin de les envelopper dans un linge ou dans du papier absorbant, et qu'on les consomme aussitôt.

BROCHET

Pour présenter sur table, choisir les spécimens de petite taille. La chair des gros (à partir de 3 à 4 kilos) est moins fine, parfois même légèrement cotonneuse, mais elle est parfaite pour préparer de délicieuses terrines, mousses ou farces de poisson, particulièrement les quenelles.

Selon la saison, les ***œufs*** de brochet peuvent être laxatifs, voire toxiques : mieux vaut, donc, les éliminer.

CAFÉ

Lorsqu'on est fidèle à une marque de café et qu'on apporte tout le soin nécessaire à sa préparation, s'il paraît moins bon, c'est tout simplement que le moulin à café est encrassé. Pour y remédier, il suffit d'y moudre un peu de pain rassis : celui-ci absorbera les huiles qui s'étaient déposées sur les pales, et, comme par enchantement, le café redeviendra bon.

• En grains

Pour développer l'arôme du café en grains, faire tiédir ces derniers dans une poêle, à feu vif, juste avant de les moudre.

• Moulu

Pour développer son arôme, enfoncer deux grains de gros sel (ni plus ni moins) au milieu du dôme de poudre, dans le filtre.

CALMARS ET SEICHES

Les ***nettoyer*** est un peu long, mais simple lorsqu'on procède méthodiquement : saisir la tête et la tirer doucement pour entraîner les entrailles. S'il y a une poche à sépia (encre), l'enlever et la réserver dans un bol. Parfaire le vidage du « manteau » (corps) avec le doigt ou le manche d'une cuillère, sans omettre la « plume » (cartilage très fin), ou l'« os » s'il s'agit d'une seiche. Retirer ensuite la fine pellicule du manteau, qui permet de séparer les nageoires. Reprendre la tête pour ôter les yeux et, surtout, le bec corné de la bouche à la base des tentacules. Laver à grande eau manteau, nageoires et tentacules, en frottant ceux-ci entre les mains (ou avec un Scotch-Brite), pour éliminer la peau sombre qui les enrobe.

CANAPÉS

Pour gagner du temps, couper le pain de mie aussi finement que possible (les canapés épais ne sont pas agréables) dans le sens de la longueur, et non, comme on a l'habitude de le faire, de la largeur. Beurrer les tranches ainsi obtenues, puis, si la garniture se tartine, l'étaler. Recouper chaque tranche en bandes de 2,5 à 3 centimètres de large, toujours dans le sens de la longueur, puis toutes ces bandes ensemble, cette fois dans le sens de la largeur, pour obtenir des canapés carrés.

Si la garniture se pose, procéder au découpage après avoir beurré le pain, puis poser la garniture sur chaque canapé.

Il faut toujours beurrer les canapés (avec du beurre ramolli à température ambiante pour que la couche soit uniforme) avant d'y étaler ou d'y poser la garniture, quelle qu'elle soit, afin que le pain, ainsi imperméabilisé, n'absorbe pas l'humidité de cette dernière.

CANARD

Fendre transversalement le dessus du croupion, retirer les deux glandes qui apparaissent (elles risqueraient, en effet, de donner de l'amertume à la cuisson), puis rabattre le croupion à l'intérieur de la volaille.

CAPUCINE

Les boutons floraux de la capucine, non éclos, se confisent au vinaigre, comme les câpres.

CARAMEL

Pour préparer rapidement un caramel, on peut utiliser le micro-ondes : dans un récipient (ne jamais utiliser un récipient en plastique, même spécial micro-ondes), humecter des morceaux de sucre avec un peu d'eau (légèrement plus que pour un caramel traditionnel), et programmer 3 minutes à 100 p. cent de la puissance. Surveiller la cuisson et l'arrêter dès que le caramel devient blond.

CAROTTES RÂPÉES

Si on les prépare habituellement avec de l'huile d'arachide, remplacer une cuillerée d'huile par de l'huile de noisette et utiliser plutôt du jus de citron que du vinaigre. A la saison des noisettes fraîches, on peut en ajouter quelques-unes, après les avoir concassées au mixeur.

CARPACCIO

Voir : ***Viande fraîche***
(page 66).

CARPE

• Écailler, vider et désosser

Il est parfois difficile d'écailler une carpe : pour faciliter cette opération, certains la plongent au préalable dans de l'eau bouillante pendant quelques secondes. Cette étape n'est pas indispensable si la carpe est destinée à être pochée, car on peut, dans ce cas, la cuire avec ses écailles.

Lorsqu'on la vide, veiller à bien retirer le fiel, qui se trouve sous la tête.

Quant au désossage, mieux vaut demander au poissonnier de l'effectuer, car c'est une opération très délicate, qui demande un minimum de savoir-faire.

• Carpe sauvage

La carpe que l'on trouve aujourd'hui sur les marchés est élevée en étangs ou en bassins (en Israël, on lui préfère la « tilapia », produite à plus de six millions d'individus par an), mais il en existe encore à l'état sauvage. Pour éliminer son goût de vase caractéristique, rien ne vaut les trucs de grand-mère :

• Le pêcheur, qui aura pris la précaution de se munir d'un petit flacon de vinaigre, devra, s'il a la chance d'attraper un tel spécimen, lui en faire avaler immédiatement deux bonnes cuillerées à soupe environ et lui tenir la bouche et les ouïes fermées : une sorte de limon va alors apparaître sur la carpe, qu'il suffira de gratter. De retour chez lui, il mettra simplement le poisson dans de l'eau froide pendant 2 heures environ, en la renouvelant plusieurs fois.

• Si on dispose d'un bassin d'eau claire, on peut y laisser la carpe pendant deux à trois semaines avant de la repêcher.

• Enfin, après avoir écaillé et vidé la carpe, on peut la laisser de 2 à 3 heures dans de l'eau salée et légèrement vinaigrée.

CÉLERI-BRANCHE, CIBOULE OU POIREAUX

Pour une présentation raffinée, façon asiatique, faire tremper les tronçons de ces légumes fendus en « julienne » à chaque extrémité pendant 1 heure dans de l'eau glacée : ils vont boucler tout seuls, et se prêter aux plus jolis décors.

CÉLERI-RAVE

Ce légume est vendu déjà épluché, ce qui a permis d'éliminer toutes les radicelles, mais il faut renouveler l'opération avec un couteau économe. Une fois coupé en quartiers, ôter le cœur s'il est cotonneux.

CÉLERI RÉMOULADE

Pour qu'il soit bien blanc et sans aucune amertume, plonger le céleri râpé dans une casserole contenant 2 litres d'eau bouillante salée et additionnée du jus de un citron, puis le passer dans une passoire et le rafraîchir à l'eau courante. L'étaler ensuite sur un linge et bien le sécher avant de le mélanger avec la sauce.

CÈPES

• A la bordelaise

Après les avoir cuits à l'huile d'olive, avec les aromates voulus, égoutter les cèpes, les remettre sur le feu avec 1 cuillerée à soupe d'huile d'olive fraîche, simplement pour la chauffer, et servir aussitôt.

• Frais

Les nettoyer

Commencer par couper le pied, à moins que les champignons ne soient très petits : dans ce cas, couper simplement la base pour ramener le pied à peu près au niveau du chapeau.

Retirer les spores si elles sont vertes, signe de la présence quasi certaine d'asticots, mais les laisser si elles sont claires.

Si les chapeaux sont impeccables, les essuyer avec un linge humide suffit, mais si la peau se retrousse sur les bords, et, surtout, si elle est flétrie et brunie, il faut alors la retirer.

Examiner les pieds attentivement, pour voir s'ils sont véreux ou non, avant de les peler.

Chasser les vers

Les cèpes, même s'ils sont triés sur le volet, recèlent souvent des vers, surtout si on les a ramassés soi-même dans les bois.

Pour pouvoir les manger en toute sécurité, essuyer les cèpes avec un linge, couper les parties terreuses ou abîmées, puis étaler les champignons sur un plat, en les espaçant bien, et les couvrir d'un film plastique bien tendu. Au bout de 1 à 2 heures, les hôtes indésirables, privés d'oxygène, seront tous sortis pour venir se coller au film plastique : il ne reste plus qu'à jeter celui-ci.

Cette méthode infaillible est également utilisée pour préparer des cèpes destinés à la conserve.

CERFEUIL

Une fois ciselé, le cerfeuil noircit rapidement : il faut donc le couper à la dernière minute seulement.

CERVELAS OU SAUCISSON EN BRIOCHE

Avant d'enrober l'un ou l'autre de pâte, ne pas oublier d'enlever la peau, sinon le découpage risquerait d'être compliqué, et la dégustation assez délicate.

CERVELLE

Une cervelle sera plus facile à parer, sous un filet d'eau froide, si on l'a fait tremper au préalable dans de l'eau vinaigrée pendant 1 heure.

CHAMPAGNE

Pour rafraîchir rapidement une bouteille de champagne, la mettre dans un seau à glace contenant une poignée de gros sel et quelques glaçons.

CHAMPIGNONS DE COUCHE

Il faut éviter de laver les champignons (spongieux, ils absorbent l'eau) : se contenter d'enlever le pied, ou de le couper au ras du chapeau, et de les essuyer avec un linge fin. S'ils sont bien frais, il est inutile de les peler.

Si du sable s'est logé dans les spores, mettre les champignons dans une écumoire et les passer sous l'eau courante, mais ***ne jamais les laisser tremper***.

Si les champignons ne sont plus d'une grande fraîcheur et que les chapeaux sont sales ou abîmés, les peler et les essuyer, mais, surtout, ne pas les laver : ils sont encore plus spongieux lorsqu'ils sont légèrement déshydratés.

CHAMPIGNONS SECS

Si leur rôle consiste simplement à parfumer un fond de cuisson ou une sauce, il n'est pas nécessaire de les tremper ; les passer à la moulinette pour les mélanger à la cuisson.

CHAPELURE

La meilleure chapelure est celle que l'on prépare : couper du pain rassis en dés, puis les étaler sur une feuille d'aluminium ménager et les faire dessécher au four, à thermostat 1 : cette opération est très rapide. Passer ensuite au mixeur, ou écraser avec une bouteille ou un rouleau à pâtisserie.

A défaut de pain rassis, on peut utiliser des petits pains grillés suédois : le résultat est excellent.

Si l'on n'a ni pain rassis ni petits pains grillés suédois, prendre des biscottes. Le résultat, toutefois, sera moins bon, car la biscotte se réduisant plutôt en poudre, la chapelure obtenue a tendance à coller, et sa saveur est légèrement douceâtre.

CHÂTAIGNES

Une fois décortiquées, il faut les débarrasser de leur seconde peau. Celle-ci s'enlèvera aisément si on fait cuire les châtaignes pendant quelques minutes dans de l'eau bouillante additionnée de 1 cuillerée à soupe d'huile et qu'on les pèle après les avoir égouttées.

CHINCHARD

Ce poisson bon marché et à chair fine est peu apprécié, tout simplement parce qu'on ne sait pas le préparer avant de le cuire (poêlé, meunière ou au four).

Sa ligne latérale est garnie — sur toute sa longueur — d'une carène formée de plaques osseuses appelées « scutelles ». Celles-ci, lisses près de la tête et plus épineuses vers la queue, doivent impérativement être retirées : pour faciliter cette opération, plonger le poisson, après l'avoir vidé, dans de l'eau bouillante en le tenant par la queue et le retirer aussitôt.

CHOCOLAT

• Exalter sa saveur

Pour préparer des crèmes et des entremets au chocolat, faire dissoudre celui-ci dans du café très fort : le goût du café sera insoupçonnable, mais celui du chocolat, en revanche, incomparable.

• Faire des copeaux

Pour faire des copeaux de chocolat, casser celui-ci en morceaux, puis le faire fondre au bain-marie et incorporer un sixième de beurre environ. Verser le chocolat dans un large plat creux à petit rebord. Laisser refroidir. Racler la surface avec un couteau à lame fine, après l'avoir trempée dans de l'eau chaude : les lamelles ainsi obtenues s'enroulent toutes seules.

• Le faire fondre

Casser le chocolat en carrés dans un récipient et le mettre au micro-ondes pendant 2 minutes à 50 p. cent de la puissance. Éventuellement, ajouter un peu d'eau, de crème ou de beurre.

CHOU-FLEUR

On peut, après avoir détaché les bouquets, peler la queue de ces derniers, afin que le chou-fleur soit encore plus tendre.

CHOUX OU ÉCLAIRS

Pour éviter qu'ils ne retombent après la cuisson, laisser la porte du four légèrement entrouverte, en glissant le manche d'une grosse spatule en bois, pour permettre l'évacuation de l'humidité. De cette façon, les choux seront bien gonflés et le resteront.
Voir aussi : ***Pâte à choux*** (page 49).

CHOUX PÂTISSIERS

Pour les ***glacer***, confectionner un caramel blond clair (à 175 °C au thermomètre à sucre). Tremper rapidement le dessus de chaque chou, en le tenant par le fond, dans le caramel et le retourner sur une grille.

CIBOULE

Voir : ***Céleri-branche*** (page 17).

CITRON

- Pour qu'un citron rende ***plus de jus***, on peut, avant de le presser, le tremper pendant quelques minutes dans de l'eau très chaude, ou le rouler plusieurs fois sur un plan de travail, en appuyant fortement, ou encore le passer au micro-ondes pendant 1 minute, à 75 p. cent de la puissance.
- Si on n'a besoin que de ***quelques gouttes*** de jus, inutile de sacrifier un citron entier : il suffit de le piquer avec une fourchette et de le presser légèrement.
- Pour obtenir des ***rondelles*** de citron ***cannelées***, prélever des lanières dans le sens de la hauteur, à intervalles réguliers, avant de couper les rondelles.
- Le citron est un ***anti-oxydant*** : on l'utilise pour éviter que certains fruits et légumes, une fois pelés, ne noircissent (fonds d'artichauts, scorsonères, avocats, pommes, par exemple). Selon qu'on les lavera ou non ensuite, on les plonge, au fur et à mesure, dans de l'eau citronnée ou bien on les arrose de jus de citron.

CIVELLES OU PIBALES

Ce sont de petites anguilles âgées de 3 ans, appelées « pibales » dans le Sud-Ouest et « anguillas » par les Espagnols qui en sont particulièrement friands. On en compte deux mille environ au kilo.

Avant de les cuisiner, il faut les laver plusieurs fois à grande eau, jusqu'à ce que celle-ci soit claire, en veillant à boucher l'évier avec de la gaze pour éviter qu'elles ne filent par les trous.

COCKTAIL

Pour bien réussir un cocktail, verser d'abord dans le shaker l'ingrédient dont la teneur en alcool est la plus faible.

CONCOMBRE

- Il n'est pas indispensable de faire ***dégorger*** un concombre, notamment s'il est jeune, fraîchement cueilli et sans graines, ou bien s'il doit être cuit. Dans les autres cas, il est préférable de le faire, en sachant toutefois que cela risque de le ramollir.
- Pour ***supprimer l'amertume*** d'un concombre, le faire dégorger pendant 15 minutes dans du lait sucré.
- Pour une ***présentation plus raffinée***, qu'il soit cru ou cuit, il convient de laisser de légères traces de pelure verte lorsqu'on pèle le concombre au couteau économe.
- Pour ***évider*** un concombre, couper les extrémités et ôter les graines, en élargissant légèrement l'ouverture de façon à toutes les retirer, avec un vide-pomme. On obtient ainsi un « tube » qui donnera des rondelles à trou central, ou pourra être farci.

CONFITURES

Il ne faut jamais utiliser d'espèces précoces, qui rendront plus d'eau et demanderont plus de sucre pour préparer des confitures, mais attendre la pleine saison des fruits.

CONGELER

• En ***paquets larges et plats***, les préparations congèleront plus rapidement à cœur qu'en paquets cubiques, ce qui est un atout de qualité.
• Utiliser un ***stylo spécial***, indélébile, pour écrire clairement sur l'emballage ce qu'il contient. Il sera ensuite beaucoup plus facile de repérer ce qui reste dans le congélateur.
• ***Dater*** chaque paquet, afin de ne pas consommer d'abord les derniers produits congelés : même dans un congélateur ménager, la date de consommation est limitée.

CONSERVE EN BOÎTE

• **Ouvrir la boîte**

Avant d'ouvrir une conserve, essuyer le couvercle pour éviter d'introduire les poussières qui s'y sont déposées.

Si un sifflement se produit lorsqu'on perce le couvercle d'une conserve, c'est un signe de bonne conservation : il s'agit simplement de l'air contenu dans la portion vide de la boîte, qui s'échappe alors.

• **Sortir le produit**

Pour sortir un produit fragile, il vaut mieux, parfois, ouvrir la boîte par le fond. Ainsi, par exemple, les pointes d'asperges ne se casseront plus.

Pour sortir un produit compact, du pâté par exemple, découper le couvercle et le fond avec l'ouvre-boîte, puis ôter le fond et pousser sur le contenu de la boîte avec le couvercle.

CONSERVES DE LÉGUMES AU NATUREL

Après avoir ouvert la boîte, vider le contenu dans une passoire et rincer rapidement à l'eau chaude, surtout si les légumes sont destinées à être consommés froids (haricots verts par exemple) : ils seront meilleurs.

COQUILLAGES

• Avant de préparer des coquillages contenant du *sable*, les poser à plat dans une bassine contenant de l'eau salée, à raison de 15 grammes de gros sel par litre. Au bout de 2 heures, croyant au retour de la mer (marée montante), ils vont s'entrebâiller et se refermer plusieurs fois de suite, évacuant ainsi le sable.

• Pour ouvrir des ***praires récalcitrantes***, rien de plus simple : utiliser le micro-ondes. Procéder par petites quantités à la fois, toujours à couvert, en le programmant 30 secondes à 50 p. cent de la puissance, afin de ne pas les cuire.
• Si l'on veut servir des ***huîtres chaudes***, ou les farcir, l'idéal est le micro-ondes.

COQUILLES SAINT-JACQUES

• Pour les ***nettoyer***, détacher la noix, à l'aide d'un couteau, prélever le corail en retirant la partie noire et les laver. Le reste s'élimine, mais certains cuisiniers récupèrent les franges bien lavées pour parfumer les courts-bouillons pour poissons.
• Pour les ***ouvrir***, introduire la pointe du couteau à l'opposé de la charnière, entre les deux valves, contrairement à d'autres coquillages. Cela n'est pas toujours facile, surtout si les coquilles sont très fraîches. On laissera donc les coquillages un instant à température ambiante, non loin d'une source de chaleur, et on profitera du moment où ils s'entrebâilleront pour glisser la lame : c'est une épreuve de rapidité et d'habileté.

Si l'on demande au poissonnier d'ouvrir les coquilles Saint-Jacques, il faudra les nettoyer aussitôt et les conserver bien au froid jusqu'au moment de leur préparation.

• Pour éviter que les noix ne se ***rétractent*** à la cuisson, une fois prélevées et lavées, retirer le fin muscle qui les entoure.

COURGETTE

La courgette ne se pèle pas : la laver, l'essuyer et couper simplement les deux extrémités. Par contre, on peut l'évider avec un vide-pomme pour la farcir.
Voir aussi : ***Concombre***
(page 21).

CRABE

Araignée ou tourteau, le crabe se ***coupe à cru*** pour les fricassées. Saisir les pinces avec une manique et les détacher, en procédant au-dessus d'un plat creux. Détacher les pattes. Laver la languette repliée sous le corps et séparer celui-ci de la carapace en tirant fortement. Récupérer les œufs, éventuellement, ainsi que le corail (jaune-olivâtre), puis éliminer la poche à graviers et toutes les branchies.

Couper le corps en deux, en quatre ou en six, selon la grosseur du crabe, et casser la carapace des pinces, en récupérant la lymphe : mélangée avec les œufs et le corail, elle servira à lier la sauce en fin de cuisson.

CRÈME AIGRE

C'est la crème utilisée dans la cuisine russe sous le nom de

« smitane ». On la trouve dans les épiceries orthodoxes.

On peut la remplacer par un mélange de crème fraîche et de yoghourt à la grecque, que l'on trouve couramment aujourd'hui, éventuellement additionné de quelques gouttes de jus de citron.

CRÈME ANGLAISE

• Parfumer

Pour parfumer une crème anglaise au café, faire griller des grains à la poêle, sans matière grasse, puis les faire infuser dans le lait bouillant. Passer celui-ci au chinois et préparer la crème comme d'habitude.

• Rattraper

Si elle a tourné, verser la crème dans le robot-mixeur et battre pendant quelques minutes à grande vitesse : elle retrouvera instantanément son velouté. C'est nettement plus pratique que de la secouer dans une bouteille !

CRÈME CHANTILLY

On appelle ainsi la crème fouettée sucrée.

• Pour lui donner plus de ***consistance***, ajouter le sucre en pluie, petit à petit, lorsqu'elle commence à prendre du volume, et seulement à ce moment-là, sans cesser de fouetter. Utiliser de préférence du sucre glace, plutôt que du sucre semoule : il contient un peu d'amidon, qui donnera plus de tenue à la chantilly.

• Pour préparer de la crème Chantilly ***vanillée***, on peut utiliser du sucre vanillé, mais il vaut mieux ajouter de la vanille pure, en poudre, au sucre glace.

CRÈME FOUETTÉE

Pour préparer de la crème fouettée, mettre la crème au réfrigérateur au moins quarante-huit heures à l'avance : elle montera plus facilement.

On obtiendra une crème plus légère et plus abondante en lui incorporant un blanc d'œuf avant de la battre.

CRÈME GLACÉE A LA VANILLE

Il n'y a rien de meilleur qu'une glace maison : préparer une crème anglaise fortement vanillée, ajouter de la crème fraîche (le dixième environ de son poids au minimum) lorsqu'elle est bien froide et mettre en sorbetière.

CRÈMES GLACÉES ET SORBETS

Pour être sûr que glaces et sorbets prendront bien, utiliser du ***sucre gélifiant***.

CRÈME PÂTISSIÈRE

Pour lui donner plus de finesse, remplacer la moitié de la farine par de la « poudre à crème ».

Pour éviter qu'une ***peau*** ne se forme pendant son refroidissement, on peut, au choix, dès que la crème est cuite :

- faire fondre uniformément à la surface une grosse noisette de beurre. Pour bien incorporer celui-ci, on battra légèrement la crème au moment de l'utiliser ;
- la poudrer d'un voile de sucre en poudre ;
- la battre au fouet jusqu'à ce qu'elle ait complètement refroidi, cette méthode ayant aussi l'avantage de la rendre plus légère.

CRÈME RENVERSÉE ET CRÈMES PRISES

Pour éviter qu'elles ne s'effondrent au moment où on les démoule, il faut attendre qu'elles aient complètement refroidi.

CRÊPES

Lorsqu'on fait des crêpes, il faut toujours jeter la première, qui a absorbé les goûts et odeurs de la poêle.

• Graisser la poêle

Pour graisser la poêle entre deux crêpes, l'idéal est de piquer un morceau de lard gras frais au bout d'une fourchette, mais dans certaines régions, c'est devenu une denrée rare. On peut aussi tremper du coton dans de l'huile, mais ça peluche ! le mieux est donc de tremper une pomme de terre crue, pelée et coupée en deux, piquée au bout d'une fourchette, dans un bol d'huile, puis de passer le côté plat dans la poêle : c'est facile, et le film de graisse déposé au fond de la poêle est très léger.

• Maintenir au chaud

Pour maintenir les crêpes au chaud, badigeonner une grande assiette de beurre fondu au pinceau (ou la poudrer de sucre en poudre s'il s'agit de crêpes sucrées) et la poser sur une casserole d'eau frémissante. Empiler les crêpes dans l'assiette au fur et à mesure, en les badigeonnant de beurre pour qu'elles ne collent pas. Poser une autre assiette plate, à l'envers, sur les crêpes, et retourner la pile au moment de déguster.

• Réchauffer

Pour réchauffer des crêpes préparées à l'avance, procéder de la même façon que pour les maintenir au chaud (entre deux assiettes sur eau frémissante), en retournant la pile une fois.
Voir aussi : ***Pâte à beignets ou à crêpes*** (page 48).

CRÉPINE DE PORC

Pour éviter qu'elle ne se déchire en l'étirant, faire tremper la crépine au préalable dans de l'eau tiède pour l'assouplir. Attention : de l'eau trop chaude ferait fondre les masses graisseuses.

CREVETTES CRUES CONGELÉES

Avant de les cuisiner, il vaut mieux les faire mariner dans 10 centilitres d'huile d'olive, additionnée d'un citron, de quatre à six branches de persil plat haché, d'un peu de gros sel et de poivre concassé (l'herbe aromatique variera en fonction de la recette).

Il est préférable de les étêter et de fendre la carapace sur le ventre, comme pour des langoustines, sans la retirer. Laisser décongeler au réfrigérateur.

Ne pas utiliser la marinade : toute l'eau de décongélation l'aura diluée.

CREVETTES ET LANGOUSTINES

- Pour les décortiquer à cru, détacher la tête et écarter la carapace de chaque côté en les tenant le ventre en l'air.
- Pour les décortiquer à cru en conservant la tête, couper la carapace sur le ventre avec des ciseaux, de la queue à l'avant-dernier anneau de la carapace côté tête inclus. Saisir celui-ci et le détacher du dernier anneau, qui doit rester en place pour tenir la tête. Décortiquer le reste de la queue.

CROISSANTS

Pour façonner des croissants, utiliser de la pâte levée-feuilletée, qui demande moins de tours que la pâte feuilletée (trois tours suffisent), mise au frais pendant au moins 10 heures. L'abaisser sur 2,5 à 3 millimètres d'épaisseur, en une bande de 15 centimètres de large, que l'on découpera en triangles tête-bêche de 12 centimètres de base. Les rouler de la partie la plus large vers la pointe, puis les arquer en croissants de lune.
Voir aussi : ***Brioches ou croissants rassis*** (page 14) et ***Pâte à croissants*** (page 50).

CROSNES

Inutile d'essayer de les éplucher : couper simplement chaque extrémité et les envelopper dans un linge avec une poignée de gros sel. Secouer vigoureusement en tous sens ou les faire rouler dans le linge pour que le sel détache la fine pellicule qui les recouvre, les laver à l'eau citronnée et les cuire aussitôt dans une eau citronnée ou dans un fond de cuisson (c'est un des légumes qui s'altèrent le plus rapidement à l'air).

CROÛTONS AILLÉS

Pour faire des croûtons aillés, appelés aussi « chapons », il existe un moyen beaucoup plus rapide que les frotter d'ail un par un, avec le risque de les briser.

Mettre tous les croûtons taillés à la grandeur voulue dans un grand plat creux ou un saladier. Couper les gousses d'ail en morceaux dans le mixeur, ajouter quelques cuillerées à soupe d'huile et un peu de gros sel, et faire tourner jusqu'à obtention d'un liquide blanchâtre épais. En arroser les croûtons, puis les laisser s'imbiber en les retournant une ou deux fois.

Pour 50 à 100 grammes d'ail (selon la force désirée), compter six cuillerées à soupe d'huile d'olive (ou deux d'huile d'olive et quatre d'huile d'arachide) et un tiers de cuillerée à café de gros sel.

CUISINE-CHANTIER

Pour éviter que la cuisine ne se transforme en chantier, prendre l'habitude de laver au fur et à mesure de leur utilisation bols, moulins à légumes, bols-mixeurs, etc. : cela est beaucoup plus rapide et facile que lorsqu'ils ont « séché ».

CUL-DE-POULE

Le cul-de-poule est l'ustensile idéal pour battre ou fouetter une préparation avec succès : les ingrédients, en effet, sont projetés sur les parois et redescendent aussitôt au fond, puisqu'il n'y a pas d'arrête. Aucun professionnel de la cuisine et de la pâtisserie ne saurait s'en passer. Le choisir dans un matériau ne risquant pas de noircir les aliments, ni de rouiller, et supportant la chaleur.

DÉCONGELER AU MICRO-ONDES

Pour décongeler au micro-ondes, le produit congelé doit sortir du congélateur : si la décongélation a commencé, un début de cuisson s'effectuera sur les parties dont la température a remonté.

DORADE

Pour éviter d'avoir à nettoyer la cuisine, faire écailler ce poisson par le poissonnier, car ses larges et solides écailles sautent partout.

DORER UNE PÂTE

Cette opération s'effectue avant la cuisson. Utiliser un pinceau, de façon à obtenir une couche légère et bien régulière.

La « dorure » est de l'œuf battu. Selon la nuance que l'on veut obtenir, du blond le plus clair au plus foncé, on utilisera du blanc d'œuf seul, de l'œuf entier ou du jaune seul. Quelques gouttes d'eau favoriseront la liquéfaction de l'œuf.

ÉCHALOTE ET OIGNON

Pour les ***ciseler***, les couper en deux une fois pelés ; poser une moitié sur une planche, côté plat en dessous, et avec un petit couteau à lame fine bien affûté la couper en tranches très minces, en les laissant en place. Faire pivoter la planche d'un quart de tour et recommencer l'opération. Pratiquer de la même façon pour l'autre moitié.

ÉCREVISSES

Il est nécessaire de ***châtrer*** les écrevisses, car leur nourriture, à certaines époques, donnerait de l'amertume aux préparations. Il existe deux façons de procéder :

- ***le châtrage direct :*** avec un linge, saisir la pale centrale de la nageoire caudale (extrémité de la queue) et la tirer doucement pour entraîner le petit boyau (l'intestin) ;
- ***le dégorgeage :*** recouvrir entièrement les écrevisses de lait et les laisser tremper pendant au moins 1 heure.

Attention : une fois châtrées, il faut les pocher ou les cuisiner immédiatement.

EMBROCHER UN ANIMAL ENTIER

Pour éviter que la broche ne cale pendant la cuisson, il faut bien répartir de chaque côté, non pas les volumes, mais les poids. Le meilleur moyen est de piquer la broche juste sous la queue ou dans le croupion, et de la ressortir à l'avant à la base du cou (au-dessus du sternum).

Par ailleurs, bien plaquer les membres contre le corps en les maintenant avec de solides brochettes, afin qu'ils ne carbonisent pas.

ENDIVES

Pour nettoyer les endives, les essuyer, mais ne pas les laver, l'eau favorisant l'amertume. Pour éviter qu'elles ne soient amères, couper un petit cône à la base avec un couteau pointu.

Pour les cuire, les mettre dans un récipient à fond épais avec force beurre, du sel, du poivre et du jus de citron, à feu doux et à couvert, sans ajouter d'eau.

En fin de cuisson, on peut éventuellement ajouter une pincée de sucre semoule.

ENTREMETS

Pour ***démouler*** facilement les entremets, tremper les moules (qui ont été beurrés ou caramélisés) au préalable dans de l'eau chaude pendant quelques secondes.

ÉPICES

Pour obtenir le maximum de satisfaction d'une épice, la choisir entière, et la moudre ou la râper au moment de l'utilisation : grains de poivre et noix muscade, par exemple, seront ainsi beaucoup plus parfumés.

ESCALOPES DE VEAU

Si on les taille soi-même dans une pièce de veau, prendre soin de pratiquer perpendiculairement aux fibres, de façon à accentuer l'effet de tendreté.

ESCARGOTS

La cuisson au four les dessèche souvent, surtout s'ils sont achetés tout préparés. Pour qu'ils soient le plus ***moelleux*** possible, rien ne vaut la cuisson à la vapeur. Pour éviter qu'ils ne se renversent, froisser une feuille d'aluminium ménager au fond du panier perforé du cuit-vapeur et y disposer les escargots, qui seront ainsi bien calés.

ÉTRILLES

Les étrilles donnent une excellente bisque, mais avant de les passer au mixeur, il faut les couper en quatre et retirer les extrémités dures des pinces, afin de ne pas abîmer le couteau de l'appareil.

ÉTUVER

C'est un mode de cuisson où l'aliment cuit dans son eau de constitution, à couvert et à feu doux. S'il est très aqueux, on n'ajoute pas d'eau ; s'il l'est moins, on peut en mettre 1 ou 2 cuillerées à soupe, pour qu'il n'attache pas. Pour la même raison, on peut aussi badigeonner au pinceau le fond du récipient avec une huile neutre, mais la matière grasse (une bonne huile ou du beurre frais) proprement dite s'ajoute après la cuisson.

FARCE A POISSONS

Une farce à poissons est, en général, un mélange de panade aux œufs, de chair de poisson et de blancs d'œufs crus.

Pour lui donner de la ***finesse***, lui incorporer, en la battant vigoureusement, environ le tiers de son poids de crème fraîche. On obtient alors une ***« mousseline »***.

Pour lui donner de la ***légèreté***, lui incorporer délicatement la même quantité de crème après l'avoir fouettée. On obtient alors une farce ***« zéphir »***.

FARINE

C'est son type qui définit une farine :

- ***type 45*** pour les pâtisseries en général ;
- ***type 55*** — plus riche en gluten — pour les pâtes levées.

FENOUIL

Si les bulbes paraissent avoir besoin d'être pelés, surtout ne pas enlever les côtes de surface : le déchet serait trop important. Les peler comme des pommes de terre, avec un couteau économe.

FÈVES

Après avoir sorti les fèves des gousses, les « dérober » (retirer leur peau, ou robe).

Il vaut mieux le faire avant la cuisson : c'est plus facile.

Cette opération peut paraître fastidieuse, mais elle est payante : la petite fève dérobée ne demande plus que quelques minutes en poêlon avec un peu de beurre et de sel, et peut même se servir crue avec du fromage blanc.

FINES HERBES

Une fois lavées et équeutées, mettre les fines herbes dans un grand verre, puis les ***ciseler*** finement avec des ciseaux à branches pointues.

FLÉTAN FUMÉ

Le flétan fumé prétranché est de plus en plus utilisé pour préparer les assiettes « scandinaves », car il offre l'avantage d'être moins cher que le saumon. Parfois, il est un peu trop salé ou trop sec : dans ce cas, le faire tremper dans du lait pendant quelques heures, puis l'égoutter et bien l'éponger.

FOIE GRAS

Avant de le dénerver, il faut essayer de ***raffermir*** le foie, afin de pouvoir le manipuler sans en faire de la charpie. Deux méthodes conviennent : le plonger dans du lait froid légèrement salé et le mettre au réfrigérateur pendant 4 heures environ, ou bien l'envelopper de film étirable et le mettre au réfrigérateur, dans de l'eau froide, avec une préférence pour la première, car le lait a la faculté d'atténuer une éventuelle amertume. Il ne faut jamais le tremper directement dans de l'eau : il en absorberait et sa qualité s'en ressentirait ; par contre, on peut l'envelopper de film étirable pour le faire tremper dans de l'eau additionnée de glaçons.

Pour ***dénerver*** le foie, commencer par séparer les lobes. Les poser sur une planche, face séparée sur le dessus. Avec un petit couteau à lame très fine, fendre le petit lobe sur toute sa longueur, en son milieu, et maintenir les bords de l'incision légèrement écartés avec les doigts, afin de saisir, avec l'autre main, le vaisseau rouge qui apparaît alors. Tirer celui-ci très délicatement, en veillant à ne pas le briser, de façon à entraîner toutes les petites ramifications adhérentes.

Pratiquer de la même façon

avec le gros lobe, sans oublier qu'il comporte deux vaisseaux semblables, plus ou moins superposés.

Veiller à ne pas entraîner de chair en tirant sur les vaisseaux.

Pour éviter de dénerver le foie (surtout si on manque d'expérience), le laisser tremper dans du lait pendant toute une nuit, après avoir simplement enlevé les parties tachées de fiel. Cette méthode élimine le sang mais laisse les vaisseaux.

FRAISES

Voir : ***Tarte aux fraises*** (page 64).

FRAMBOISES ET GROSEILLES

Les framboises étant très fragiles, il faut les manipuler avec délicatesse. Pour garnir rapidement une tarte, par exemple, il est très pratique de les prélever par leur cavité à l'aide d'une aiguille à tricoter.

La pâte sablée très croustillante met particulièrement bien en valeur la framboise, mais il faut prévoir des barquettes ou des tartelettes, car cette pâte s'effrite facilement. Poser les framboises crues et les badigeonner de sirop de framboise.

On préparera exactement de la même façon des barquettes ou des tartelettes aux groseilles, en les badigeonnant de gelée de groseille délayée avec un peu de grenadine.

FRITES

Voir : ***Pommes de terre frites*** (page 56).

FRITURE

Une friture de poissons sera plus légère et plus croustillante si on utilise de la fécule (de pomme de terre ou de maïs) pour les fariner, et non de la farine.

- **De petits poissons**

Il faut les fariner avant de les plonger dans le bain de friture, afin qu'ils soient bien dorés et croustillants. Le plus simple et le plus rapide est de les mettre dans une poche en plastique contenant 2 ou 3 cuillerées à soupe de farine (ou pas plus du tiers de sa contenance), que l'on secoue en tous sens après l'avoir fermée. S'il y a beaucoup de poissons, procéder en plusieurs fois. On vide ensuite la poche sur une grille fine, placée sur un plat creux, pour ôter l'excédent de farine, et les poissons sont prêts à cuire.
Voir aussi : ***Goujon*** (page 34).

FROMAGE

Pour que, dans un gratin ou dans des pâtes, l'emmental ou le gruyère ***file*** bien, il ne faut pas le râper fin mais gros, ou, mieux encore, l'émincer en fines lamelles que l'on incorporera en pluie à la préparation très chaude, en remuant.

FROMAGE BLANC

Pour éviter qu'une pâtisserie, salée ou sucrée, ne soit compacte, il ne faut pas utiliser du fromage blanc battu, qui, ayant été pulvérisé, a perdu sa consistance.

- **Égoutter**

Avant d'incorporer du fromage blanc dans une préparation, il faut bien l'égoutter : le mettre dans une mousseline à beurre, dont on nouera les quatre coins, et le suspendre au-dessus de l'évier pendant quelques heures. En été, procéder de préférence la nuit, lorsqu'il fait frais, ou, par grande chaleur, le suspendre à la grille supérieure du réfrigérateur, en mettant un saladier en dessous.

- **Faisselle maison**

A défaut de faisselle, pour confectionner du fromage blanc maison, des crémets, caillebottes et autres fromages frais moulés qui nécessitent cet ustensile, on percera des pots de yaourt ou de crème fraîche, à intervalles réguliers, sur le fond et le pourtour, ou l'on récupérera les pots de fromage blanc moulé à la louche munis de trous proposés par certaines marques.

FRUITS SECS OLÉAGINEUX

Lorsque des noix, des noisettes ou des amandes doivent être incorporées en ***poudre*** à une préparation salée ou sucrée, pour éviter que leur graisse ne suinte, on les broiera au mixeur en ajoutant, respectivement, un peu de gros sel ou de sucre en poudre.

GAMBAS CONGELÉES

Les ***pocher*** dans de l'eau froide, salée, à feu doux, jusqu'au frémissement. Elles doivent être prêtes à déguster, mais, selon leur grosseur, il leur faudra peut-être 1 minute de plus : vérifier sur un spécimen.

GÂTEAUX

- **Alléger**

Pour obtenir un gâteau (ou un beignet) aussi léger qu'un biscuit de Savoie, remplacer la moitié de la farine par de la fécule de pomme de terre (ou de maïs). Ce conseil est surtout valable pour les gâteaux un peu « lourds ».

- **Découper**

Pour éviter qu'un gâteau maison ***nappé de chocolat*** ne perde son bel aspect lorsqu'on le découpe, et que celui-ci ne se casse en morceaux, il suffit de faire fondre le chocolat de couverture au bain-marie, en remuant de temps en temps, puis, hors du feu, de continuer à remuer jusqu'à ce que le chocolat tiédisse légèrement, d'ajouter 1 cuillerée à soupe d'huile neutre et de mélanger encore un peu : ainsi, le chocolat restera souple et se coupera facilement.

• **Démouler**

Pour pouvoir démouler facilement un gâteau, poudrer le fond du moule d'un voile de sucre cristallisé, après l'avoir beurré.

Si, au moment du démoulage, le gâteau a du mal à se décoller, poser le moule sur un torchon humide ou une éponge mouillée pendant 1 à 2 minutes : il se détachera alors aisément.

Pour qu'un gâteau ***à pâte levée*** se démoule bien, il ne faut pas le faire lever dans un endroit trop chaud, sinon la couche de beurre étalée dans le moule pénétrerait dans la pâte et l'empêcherait, ensuite, de se décoller.

• **Fourrer**

Pour préparer un gâteau fourré (biscuit de Savoie, génoise, brioche, etc.) le laisser rassir pendant 24 heures avant de le couper en tranches (avec une scie à pain à dents fines) : celles-ci ne s'émietteront pas et, même si elles ont été imbibées d'alcool, le gâteau ne s'effritera pas.

• **Glacer**

Pour glacer un gâteau, utiliser exclusivement du sucre glace et l'incorporer progressivement à des blancs d'œufs extra-frais (compter 100 grammes de sucre par blanc d'œuf), en battant jusqu'à ce que la préparation soit lisse et coulante. Masquer le gâteau de ce glaçage « à la royale », que l'on pourra aromatiser, éventuellement, avec du café ou du cacao soluble.
Voir aussi : ***Génoise*** (page 34) et ***Quatre-quarts*** (page 59).

GAUFRES

Lorsque la pâte est reposée, lui incorporer un peu de beurre fondu, après l'avoir écumé, couleur blond noisette : la saveur des gaufres sera alors incomparable.

GÉLATINE

Casser la ou les feuilles de gélatine en morceaux. La mettre dans un bol et la couvrir d'eau froide. La laisser ramollir, puis l'égoutter avant de l'incorporer à la préparation bien chaude, en remuant pour la dissoudre : la gélatine ne fond pas dans un liquide froid, elle ne se dissout qu'à la chaleur.

GELÉE

• Si la gelée se ***fige*** au cours de la préparation, la remettre à feu doux, en remuant de temps en temps, jusqu'à ce qu'elle soit tiède et se reliquéfie.
• Pour changer de la traditionnelle gelée blonde, préparer le court-bouillon gélifiant de base avec du ***vin rouge*** : on obtiendra ainsi une jolie gelée rose

pour une présentation originale.

GÉNOISE

Pour obtenir une génoise très légère et plus volumineuse, remplacer le sucre de la pâte par du sirop de sucre : 1 cuillerée à soupe de sirop équivaut à 10 grammes de sucre en poudre. Le résultat est étonnant !

GIGOT

• Si l'on préfère le gigot ***entier*** au gigot raccourci, demander au boucher de retirer l'os du quasi, de façon à pouvoir le découper facilement pour servir.

Réserver néanmoins cet os pour la cuisson : concassé, il donnera du goût à la sauce.

• Même si l'on est partisan de l'***ail*** dans le plat, même si l'on n'est pas certain que les convives aimeront l'ail, il est quasi certain que l'amateur de souris l'aimera aillée. Alors, ne pas hésiter à ailler ce morceau, mais en écrasant légèrement les gousses au préalable et en les roulant dans un mélange de sel, poivre et sarriette ou autre condiment, voire une feuille de menthe fraîche hachée.

GINGEMBRE

Lorsqu'on utilise du gingembre frais, en rhizome, il faut le ***peler*** avec un couteau économe avant de le couper en lamelles ou de le râper.

GIROLLES ET TROMPETTES DE LA MORT

Ces champignons ne se lavent pas et leur nettoyage est relativement long : couper l'extrémité de la queue, essuyer l'intérieur et l'extérieur avec un linge très fin et couper les parties ramollies ou abîmées.

GLAÇAGE

Voir : ***Gâteaux*** (page 32).

GLAÇAGE AU FONDANT

Le fondant est un sirop de sucre mené à 126 °C au thermomètre à sucre, travaillé aussitôt jusqu'à son refroidissement complet, de façon qu'il devienne une masse blanchâtre. Pour bien le réussir, il faut avoir le tour de main d'un pâtissier, et cela prend du temps.

Il se vend tout prêt, en boîtes de 250 grammes ou de 1 kilo.

GOUJON

C'est le ***poisson à friture*** par excellence, le merveilleux poisson des guinguettes qui ne craint pas les eaux polluées. Il y a une quinzaine d'années, on a fait une pêche miraculeuse de 250 kilos derrière les écluses parisiennes du canal de l'Ourcq.

L'écailler et le vider le plus rapidement possible après l'avoir pêché. On peut, éventuellement, le remplacer par le gardon aux yeux rouges, qui comme tous les poissons d'eau douce, a beaucoup d'arêtes.

GRAISSER UN RÉCIPIENT

Pour déposer un film gras uniforme et sans excédent de graisse, utiliser un pinceau trempé dans un peu d'huile.

GRAS-DOUBLE PRÉCUIT

Pour ***découper*** du gras-double précuit (vendu enroulé sur lui-même) en lanières, le trancher aussi finement que possible. Chaque tranche, une fois déroulée, devient une longue lanière, qu'il suffit de couper en tronçons de la longueur voulue pour obtenir de beaux rectangles (tablier de sapeur).

GRENOUILLES

Lorsqu'on parle de « cuisses » de grenouilles, il s'agit en fait des pattes, dont les doigts doivent être coupés. Certains cuisiniers enlèvent même le tibia, pour libérer le jarret, afin que la dégustation soit plus agréable.

GRONDIN ROUGE

Ce poisson doit son nom au grognement qu'il fait entendre lorsqu'on le sort de l'eau. Il a une chair blanche et fine, il se détaille facilement en filets et il est bon marché, malgré une grosse tête qui donne du déchet. Pourtant, il est dédaigné. C'est un tort, car préparé en filets ou en papillotes, avec un peu d'huile d'olive et une persillade, il est délicieux.

GROSEILLES

Pour ***égrapper*** des groseilles, les laver, les étaler sur un linge pour les sécher, puis passer les grappes à travers les dents d'une fourchette, au-dessus d'un récipient creux.
Voir aussi : ***Framboises*** (page 31).

GRUYÈRE

Pour redonner une consistance ***moelleuse*** à du gruyère qui a durci, l'envelopper d'un linge trempé dans du vin blanc, l'enfermer dans une boîte hermétique avec deux morceaux de sucre et le mettre au réfrigérateur pendant 24 heures.

HACHIS DE VIANDE

• Pour obtenir une ***texture fine***, hacher d'abord la viande à la grille à gros trous, puis recommencer avec la grille fine.

• Pour ***saler une farce***, compter 20 grammes de sel pour 1 kilo de farce et bien malaxer avant de goûter : le sel doit être complètement dissous par l'humidité de la viande pour que l'on perçoive réellement sa saveur.

• Pour donner une ***belle couleur*** rose à une ***terrine***, demander du sel nitrité au charcutier : il ne s'agit pas d'un colorant, mais de sel additionné d'un peu de nitrate (0,6 p. cent). Il faut compter 7,5 g pour 1 kilo de farce, et déduire cette quantité du poids de sel.

HADDOCK

Pour préparer du haddock très ***moelleux*** et ***sans goût de fumé***, ôter la peau, le mettre dans un plat creux, le couvrir de lait et le laisser tremper pendant 1 à 2 heures avant de le pocher, dans de l'eau ou dans un mélange moitié eau, moitié lait.

HARENGS FUMÉS

Il faut faire ***tremper*** les « bouffis » bien blonds, même s'ils ne sont ni trop salés ni trop fumés, dans du lait pendant quelques heures avant de les cuisiner.

Les « bücklings » sont des harengs fumés à chaud, donc cuits. En principe, on les consomme tels, mais ils sont meilleurs si on les passe au four, en papillote, pour les réchauffer.

HARENGS SAURS

• Pour préparer des ***filets*** de harengs moelleux, et éviter qu'ils ne soient trop secs, trop salés ou trop fumés, les faire tremper dans du lait avant de les laisser mariner dans une huile de saveur neutre, avec des oignons, des carottes et des aromates au choix.

On peut remplacer les grains de poivre noir de la marinade par du poivre concassé, en en mettant un peu moins.

• Bien marinés, égouttés, épongés, ***hachés*** fin (après avoir ôté les arêtes) et mélangés avec un peu de beurre, puis tartinés sur de fines tranches de pain de campagne blondies au gril, ils accompagneront à merveille des œufs durs pour un buffet rustique.

HARICOTS EN GRAINS

S'ils ne viennent pas d'être récoltés, il faut les faire ***tremper*** : pendant 1 heure à un mois de la récolte, 3 heures de deux à cinq mois après, 6 heures à neuf mois, 12 heures à douze mois.

Si on oublie ou si on n'a pas le temps de les faire tremper, les mettre dans un grand récipient, ajouter une bonne quantité d'eau bouillante et les laisser refroidir dans cette eau. Les faire cuire ensuite normalement, à l'eau froide.

HOMARD OU LANGOUSTE

Couper en deux à cru. Procéder sur une planche à rigole, pour pouvoir récupérer au fur et à mesure le liquide incolore, la lymphe (le sang de l'animal), qui va s'écouler.

Poser le crustacé sur la planche, côté ventre en dessous, en le maintenant bien pour qu'il ne puisse pas rabattre la queue. Planter la pointe d'un gros couteau à lame forte et pointue, bien affûtée, dans la queue, juste à la jonction du coffre, et trancher jusqu'à l'extrémité de la queue. En partant du même point, trancher le coffre dans l'autre sens. Effectuer ces deux opérations le plus rapidement possible. Enlever la poche à graviers qui se trouve dans le coffre, vers la queue, puis ôter le petit sillon gris (l'intestin) qui parcourt la queue.

S'il s'agit d'un homard, casser la carapace des pinces et enlever délicatement les élastiques qui les enserrent.

• Couper en morceaux à cru

Poser le crustacé sur une planche à rigole, côté ventre en dessous, et le maintenir bien allongé. Avec un couteau à lame forte ou un couperet, séparer d'un coup sec les pinces ou antennes et les pattes, au ras du corps.

Séparer la queue du coffre, récupérer éventuellement les œufs et tronçonner l'animal en petits ou en gros morceaux, selon sa taille ou le nombre de convives. Couper alors le coffre en deux, dans le sens de la longueur, ôter la poche à graviers et prélever le corail jaune olivâtre. Incorporer celui-ci aux œufs, ainsi que la lymphe : le mélange servira à la liaison de la sauce, en fin de cuisson.

S'il s'agit d'un homard, ôter les élastiques des pinces et casser leur carapace.

• Découper après pochage

Bien égoutter l'animal : après avoir fendu la carapace entre les yeux avec un gros couteau, le tenir tête en bas. Ensuite, on peut le ***couper en deux*** (petites pièces), en procédant comme pour le découpage en deux à cru, ou ***en morceaux*** (grosses pièces), en procédant comme pour le découpage en morceaux à cru, ou selon une seconde méthode : couper l'animal en deux, puis, avec une fourchette, sortir la chair de la carapace en la saisissant à l'extrémité de la queue ; la tronçonner et la replacer dans la carapace pour la présenter.

Dans tous les cas, ôter la poche à graviers des coffres et briser la carapace des pinces s'il s'agit d'un homard.

HUÎTRES

• Pour ***ouvrir les huîtres creuses***, engager la pointe du couteau dans la charnière, puis faire glisser la lame entre les valves, en exerçant une pression pour lever la valve supérieure.

• Pour ***ouvrir des huîtres plates***, procéder de la même façon, mais au lieu d'introduire la pointe, pratiquer avec le milieu de la lame, en exerçant une forte pression.

JAMBON

Des tranches de jambon qui ont séché retrouveront leur consistance ***moelleuse*** si on les fait tremper pendant 15 minutes dans une assiette de lait. Les égoutter et les sécher dans du papier absorbant.

LAIT

• Si du lait, oublié sur le feu, a attaché, le changer de casserole, ajouter un petit quignon de pain et le faire rebouillir. Le passer au chinois.

• Lorsque du lait entre dans la composition d'un court-bouillon, d'une soupe ou d'un plat de viande, veiller à ne pas couvrir complètement le récipient, mais seulement aux deux tiers, afin qu'il ne déborde pas.

LAITANCES

Certaines laitances (sécrétion des glandes génitales mâles), notamment celles de carpes et de harengs, sont recherchées. On les sert meunière, avec un beurre maître d'hôtel, mais on peut aussi les paner.

Avant de les cuire, on les fera dégorger pendant 10 à 15 minutes dans de l'eau citronnée, puis on les épongera et on les frottera d'un peu de farine pour les sécher, en les manipulant délicatement.

LAMPROIE

Pour ***dépouiller*** et ***dénerver*** une lamproie, il y a deux façons de procéder, selon sa taille.

• ***Si elle est petite :*** passer une ficelle autour du cou du poisson, en laissant un bout libre pour pouvoir le suspendre à un crochet, mais, ***avant de la dépouiller, la saigner :*** inciser profondément la queue et la laisser saigner au-dessus d'un saladier contenant un verre de vin rouge. Lorsque le sang ne coule plus, la dépouiller comme l'anguille (voir page 8), ou bien la dépendre, l'arroser d'eau bouillante et la gratter pour enlever toute la partie visqueuse qui la recouvre. Ensuite, la vider et la laver.

• ***Si elle est grosse :*** après l'avoir saignée et vidée, arracher le « nerf » qui lui sert de colonne vertébrale et remplace l'arête centrale en incisant la chair sous la tête jusqu'à ce qu'il apparaisse et en le tirant après l'avoir saisi avec un linge. (Attention : pour réussir cette opération, il ne doit pas s'être écoulé plus de 2 à 3 heures après la mort du poisson.) Ensuite, la dépouiller comme l'anguille, vider et laver la cavité ventrale.

Si le poisson est mort depuis plus de 2 à 3 heures, le dépouiller, le vider et le laver, puis le fendre en deux pour mettre le « nerf » à nu et pouvoir le retirer.

Le sang récupéré sera utilisé pour lier la sauce.

LANGOUSTE

Voir : ***Homard*** (page 37).

LANGOUSTINES

Les langoustines se pochent, mais on peut aussi les faire ***griller*** : les poser sur le gril pendant 3 à 4 minutes, selon leur grosseur, les retourner et renouveler l'opération pour l'autre côté. Accompagnées de pain de campagne, de beurre demi-sel et de quartiers de citron, c'est un régal.
Voir aussi : ***Crevettes***
(page 26).

LANGOUSTINES ET CREVETTES

On peut les ***décortiquer à cru en conservant la nageoire caudale*** : enlever la tête, fendre la carapace sur le ventre avec des ciseaux, de la tête à l'avant-dernier anneau de la carapace côté queue inclus. Saisir celui-ci et le détacher du dernier, qui doit rester en place pour tenir la nageoire caudale. Décortiquer le reste de la queue. Écarter les pales de la nageoire caudale en éventail.

Cette préparation est utilisée pour les beignets : on trempe dans la pâte à frire le corps décortiqué et le dernier anneau en place, mais pas la nageoire.

LANGOUSTINES ET ÉCREVISSES

Lorsqu'elles ne sont pas pochées, mais mises à cru dans un fond de cuisson, on peut les ***ouvrir sans les décortiquer*** en fendant les carapaces : avec des ciseaux à bouts pointus, couper la carapace ventrale de la nageoire caudale jusqu'au coffre si elles ne sont pas étêtées, ou de la partie la plus large (côté tête) jusqu'à la nageoire caudale si la tête a été retirée.

Ainsi ouvertes sans être décortiquées, elles auront plus de saveur et pourront être dégustées plus facilement.

LAPIN

S'il est en morceaux, essuyer tous les os apparents avec du papier absorbant ou un linge et enlever les esquilles, avant de le faire cuire, pour éviter de les retrouver dans la sauce.

LARD

Le mettre au réfrigérateur pendant quelques heures avant de le débiter en lardons ou en dés : ainsi raffermi, il se coupera facilement.

LARD DEMI-SEL

Il faut le ***blanchir*** dans une bonne quantité d'eau froide à feu très doux, de façon que le sel ait le temps de se dissoudre dans l'eau : si l'échauffement est trop rapide, les protéines de surface de la viande se coagulent, empêchant le sel de sortir. Par ailleurs, l'eau doit juste frémir, et c'est à ce moment qu'on doit égoutter le lard : s'il y a ébullition ou prolongation du frémissement, il sera semi-cuit.

LÉGUMES

Pour qu'ils gardent le maximum de vitamines et de saveur, il ne faut pas les laisser tremper dans l'eau quand on les lave.

Seules exceptions : les légumes tels qu'artichaut, chou-fleur, brocoli, chou de Bruxelles, chou pommé, blanc, rouge ou vert, laissés entiers ou coupés en quartiers pour les plus gros. Il faut laisser tremper ces derniers dans de l'eau vinaigrée, de façon que les éventuels petits insectes logés entre les feuilles sortent.

LENTILLES

En principe, on ne fait pas tremper les vertes. Les blondes importées, en revanche, doivent l'être pendant 3 à 6 heures, car on ne connaît pas leur date de récolte. Dans le doute, en croquer une : selon qu'elle est semi-tendre ou dure, il faudra ou non les tremper.

LEVURE

- **Chimique**

Mélange de bicarbonate de sodium, de pyrophosphate de sodium et d'amidon de maïs, elle est vendue sous des noms divers, comme « poudre à lever », où le mot « chimique » n'apparaît pas. Agissant seulement sous l'effet de la chaleur, elle ne fera donc lever une pâte qu'à la cuisson.

- **De boulanger**

Levure biologique fraîche provoquant la fermentation des sucres contenus dans les différents ingrédients constituant la pâte (farine, lait, sucre). Cette fermentation dégage des bulles de gaz carbonique qui restent emprisonnées dans la pâte, la faisant gonfler. Elle est lente, et il faut lui laisser le temps de s'effectuer, parfois plusieurs heures, selon ce que l'on veut obtenir. Ne jamais enfourner une pâte avant qu'elle ait fini de lever.

Cette levure est présentée en cubes de 20 grammes et son

nom vient de ce qu'on l'achète chez le boulanger, qui l'utilise pour le pain, mais elle est aussi appelée « levure de bière » (autrefois elle provenait des brasseries).

Pour 250 grammes de farine, compter 5 grammes de levure pour les pâtes genre pâte à pizza et 10 grammes pour les pâtes à brioche.

LIÈVRE

Alors que le sang de l'animal est souvent recherché pour la liaison d'un civet, ne jamais le mettre dans la farce d'une terrine, car celle-ci aurait un goût trop fort.

MACARONS

La pâte des macarons doit être assez souple et pâteuse pour pouvoir se dresser à la poche à douille sur la plaque de cuisson, tout en ayant suffisamment de tenue pour ne pas s'étaler.

MACÉDOINE DE LÉGUMES

Pour décongeler de la macédoine de légumes, la réchauffer à la vapeur, en détachant les dés de légumes les uns des autres avec une fourchette en bois au début, jusqu'à ce qu'ils soient bien tendres. Selon la recette, l'utiliser chaude ou après refroidissement.

MAÏS

Pour préparer des ***galettes*** maison rapidement, c'est tout simple : incorporer des grains de maïs doux sous vide à une pâte à crêpes non sucrée, saler et poivrer. Cuire comme des crêpes un peu épaisses, de préférence dans une poêle de petit diamètre huilée au pinceau.

MANDARINES ET POMELOS

Ce sont des agrumes dont l'écorce ne fait pas corps avec le fruit lui-même. Pour les peler à vif, la retirer avec un petit couteau et mettre les quartiers à nu en ôtant la légère peau recouvrant le fruit.

On peut aussi procéder comme pour les oranges et les citrons, mais l'écorce étant plus ou moins « libre », il risque d'y avoir trop de déchets.

MARGARINES ET HUILES VÉGÉTALES CONCRÈTES

Ces produits peuvent être utilisés aussi bien pour des préparations culinaires que pour la pâtisserie, pour laquelle ils donnent souvent d'excellents résultats.

MARINADE

Lorsqu'on fait mariner des ingrédients, il faut les retourner de temps en temps, de façon qu'ils s'imprègnent tous uniformément du parfum de la marinade.

• Au vin

Choisir un vin corsé classique : corbières, cahors, madiran, voire un vin d'Algérie (sidi brahim) ou du Maroc (mascara), mais n'utiliser en aucun cas un grand cru. Le réserver pour la table.

• Cuite

Destinée au gibier de venaison ou au lièvre, c'est simplement une marinade crue que l'on fait réduire d'environ un tiers, puis qu'on laisse refroidir avant de l'utiliser.

• Pour viande

Elle est surtout utilisée pour lui donner de la saveur, mais on oublie qu'elle peut avoir deux autres fonctions : la conserver fraîche pendant un ou deux jours de plus que le délai normal, et l'attendrir. Dans ce dernier cas, choisir plutôt une marinade cuite.

Il ne faut jamais la saler : le sel ferait sortir le sang et les sucs de la viande, et celle-ci serait moins goûteuse.

Avant d'ajouter le vin, arroser d'abord la viande avec 2 cuillerées à soupe d'huile, puis la retourner sur toutes ses faces si elle est d'une pièce, ou bien remuer les morceaux pour les en imprégner.

MASQUER UN GÂTEAU

Cette opération consiste à étendre une préparation (crème mousseline, glaçage ou couverture de chocolat) sur toute la surface d'un gâteau, pourtour inclus, pour, en quelque sorte, le « cacher ».

Pour bien réussir cette opération, utiliser une spatule métallique souple et non rigide.

Voir aussi : ***Gâteau*** (page 33).

MAYONNAISE

Pour éviter que le bol ne glisse pendant la préparation de la mayonnaise, le poser sur un torchon humide plié en quatre.

La réussite sera quasi assurée si les œufs et l'huile sont à la même température, et de préférence pas trop chauds.

• Alléger

Pour l'alléger, ajouter un blanc d'œuf battu en neige et un peu de jus de citron au dernier moment.

• Colorer

• En ***vert*** (pour présenter avec du poisson froid, par exemple, saumon notamment) : faire cuire des feuilles de persil pendant quelques minutes, les égoutter, les réduire en purée et en incorporer plus ou moins à la mayonnaise, jusqu'à obtention de la teinte désirée.

• En ***rose*** (pour certaines

recettes comme le cocktail de crevettes) : incorporer simplement un peu de ketchup ou de sauce tomate.
• En ***jaune vif :*** incorporer une cuillerée à café de curry ou de curcuma, selon le plat. Cette mayonnaise accompagne à merveille certains poissons froids, les œufs et les salades de riz.

• Rattraper

Si la mayonnaise ne prend pas, le mieux est de mettre un jaune d'œuf dans un autre bol et de lui incorporer la mayonnaise petit à petit, comme si c'était de l'huile. On peut aussi la rattraper en ajoutant 1 cuillerée à café d'eau chaude ou froide en la montant.

MAYONNAISE ET SABAYON

Utiliser, pour les monter, un fouet en forme de spirale, et non un fouet fil de fer à pâtisserie.

MERINGUE ITALIENNE

La clé de la réussite est de verser en mince filet le sirop de sucre (cuit à 121 °C au thermomètre à sucre) encore bien chaud sur les blancs d'œufs montés en neige ferme, en fouettant jusqu'à ce que la préparation ait refroidi.

MERLAN

• En colère

Il s'agit de merlan frit. Avant cuisson, le poisson étant bien écaillé, vidé, lavé, séché, mais non étêté, le mettre en rond en introduisant la queue dans la bouche et en la coinçant entre les dents.

On peut aussi prendre une aiguillée de ficelle de ménage, entrer l'aiguille dans la queue, juste au-dessus de la nageoire, puis dans une ouïe, et la ressortir par la bouche. Lier les deux extrémités de la ficelle pour mettre le poisson en rond. La ficelle sera coupée et retirée délicatement après cuisson.

• En lorgnette

Il s'agit aussi de merlan frit. Le poisson étant habillé, c'est-à-dire écaillé, vidé, lavé, séché mais sans être étêté, l'inciser tout le long du dos, glisser la lame du couteau entre la chair et l'arête centrale pour libérer les filets, en les laissant attachés à la tête.

Rouler chaque filet sur lui-même, de la queue jusqu'à la tête, sans trop serrer, et piquer un bâtonnet en bois pour le maintenir ainsi. Sectionner au ras l'arête restée nue.

Cette présentation peut s'appliquer aux ***anchois, gardons*** et ***goujons***.

MIEL CRISTALLISÉ

Pour le liquéfier, le passer quelques secondes au micro-ondes, à 70 p. cent de la puissance. S'il est dans un bocal en verre, ne pas oublier d'ôter le couvercle et prolonger légèrement le temps de passage au four.

MORUE

Pour la ***dessaler***, compter de 36 à 48 heures pour la morue salée-séchée (il faut aussi réhydrater), 24 heures pour la morue en queue et 12 heures pour les filets.

Il faut changer l'eau très souvent et poser le poisson sur une passoire à pied retournée dans une bassine, afin qu'il ne touche pas le fond du récipient.

MOUILLETTES

Pour qu'elles soient moins fragiles, les préparer avec une ficelle fraîche, que l'on tronçonnera en trois ou quatre dans le sens de la longueur, puis de nouveau en tronçons de la longueur désirée.

MOULES

• Dessabler

Si les moules sont sableuses, il suffit de les faire tremper pendant 30 minutes dans de l'eau additionnée de lait (à raison de 25 centilitres de lait pour 5 litres d'eau environ) : elles recracheront tout le sable qu'elles contiennent, et leur chair sera plus savoureuse.

• Laver

Il ne faut pas faire tremper les moules : les mettre dans une bassine et les frotter entre les mains, les unes contre les autres, sous l'eau courante jusqu'à ce que l'eau de la bassine soit bien claire. Les égoutter aussitôt.

L'avantage de ce procédé est que les moules ne s'ouvrent pas, donc ne perdent pas leur eau, et que leurs coquilles sont ainsi très brillantes.

Si les moules ne sont pas présentées avec leurs coquilles, ou si celles-ci ne sont pas couvertes de petits coquillages parasites, ce nettoyage suffit. Sinon, il faudra également les gratter.

• Oter le byssus

Le byssus est la petite touffe de sécrétions par laquelle les moules se fixent sur un support.

Il faut l'ôter après le lavage et juste avant la cuisson, sinon la moule perdrait toute son eau et mourrait.

• Ouvrir

Pour ouvrir des moules de cordes à cru, procéder avec un couteau, par la charnière.

MOUTARDE ANGLAISE

Elle se présente en poudre. On délaie la quantité voulue dans quelques gouttes d'eau. Il vaut mieux l'utiliser dans les préparations qu'en moutarde d'accompagnement. Elle colore les aliments en jaune, car du curcuma est associé à la farine de moutarde. C'est la moutarde des picallilis.

NOISETTES

*Voir : **Amandes*** (page 8).

NOIX

• Pour ***retirer les cerneaux*** de noix de leur coquille sans les briser, faire tremper les noix pendant quelques heures dans de l'eau sucrée avant de les casser.
• Pour redonner aux noix sèches de l'hiver la ***saveur des fraîches***, les faire tremper pendant environ 30 minutes dans de l'eau bouillante salée, puis ôter la peau et les remettre à tremper quelques heures dans un peu de lait chaud sucré.

ŒUFS

• Contrôler la fraîcheur

Un œuf frais pondu tombe immédiatement au fond d'une casserole d'eau salée. S'il ne tient pas debout à la verticale, il est encore frais, mais mieux vaut le réserver pour des préparations où blanc et jaune seront cuits (ni coque ni mollet). Enfin, s'il remonte et flotte à la surface, ne pas le consommer : il n'est plus frais.

• Écaler un œuf dur

Il existe deux façons pour écaler facilement un œuf : commencer par la partie la plus arrondie, la poche d'air qu'elle comporte facilitant l'opération ; ou bien le passer sous l'eau froide dès qu'il est cuit, pour décoller la coquille, qui s'enlève alors toute seule.

• Reconnaître un œuf dur d'un œuf cru

Si des œufs durs ont été mélangés avec des frais, à cuire, il suffit de les faire rouler pour les récupérer : les premiers roulent bien, les seconds ne roulent pas.

• Séparer le blanc du jaune

Le plus simple est d'ouvrir l'œuf au-dessus d'un entonnoir étroit : le blanc passe, le jaune reste.

A défaut d'entonnoir, toujours procéder à plat pour éviter de crever le jaune, sur une planche ou un plan de travail, et non sur le rebord d'un récipient.
*Voir aussi : **Blancs d'œufs en neige*** (page 12) et ***Omelette*** (page 47).

ŒUFS A LA NEIGE

Avant de faire cuire les blancs des œufs à la neige, leur incorporer des fruits confits très finement hachés : c'est très joli et insolite.

ŒUFS A LA TRUFFE

Enfermer des œufs frais dans un bocal avec des truffes est un truc de grand chef, mais pas à la portée de toutes les bourses. Plus simplement, on peut égoutter le contenu d'une petite boîte de pelures de truffe, en récupérant le jus pour l'utiliser dans une sauce, hacher les pelures, les mettre dans un bocal avec huit à dix œufs ***extra-frais*** et fermer celui-ci hermétiquement pendant cinq ou six jours. Pour confectionner une omelette, ajouter le hachis de pelures : le parfum sera étonnant.

ŒUFS DE PÂQUES

• Colorer

Pour optimiser les résultats, bien laver les œufs avant de les plonger dans la teinture végétale, afin d'ôter l'enduit naturel qui les recouvre et de les rendre plus poreux.

• ***Du roux au brun :*** faire cuire les œufs dans une casserole d'eau avec 150 grammes de pelures d'oignons, puis les laisser dans l'eau de cuisson pendant 5 à 20 minutes, selon la nuance désirée, hors du feu.

• ***En bleu :*** faire cuire les œufs dans une casserole d'eau froide avec 250 grammes de chou rouge râpé. Les laisser dans l'eau de cuisson pendant 15 minutes, hors du feu.

• ***En jaune :*** faire cuire les œufs dans une casserole d'eau froide additionnée du jus de un citron et de 1 cuillerée à café de curcuma en poudre. Les laisser dans l'eau de cuisson, hors du feu, jusqu'à obtention de la nuance désirée. A la campagne, on peut remplacer le citron et le curcuma par une bonne poignée d'orties : le jaune sera plus soutenu.

• ***En rouge :*** faire cuire les œufs dans une casserole d'eau froide avec une betterave rouge râpée à cru. Les laisser dans l'eau de cuisson pendant 15 minutes environ, hors du feu.

• ***En vert :*** faire cuire les œufs dans une casserole d'eau froide avec 250 grammes d'épinards. Les laisser dans l'eau de cuisson pendant 15 minutes environ, hors du feu.

• ***En violet :*** faire cuire les œufs dans une casserole d'eau froide avec 250 grammes de myrtilles surgelées. Les laisser dans l'eau de cuisson pendant 15 minutes, hors du feu.

• Décor à motifs

Dessiner et découper des motifs géométriques simples dans du ruban adhésif ou du sparadrap (par exemple des ronds, des triangles, des cœurs, des croix), et les coller sur les œufs ou former des croisillons avec des bandes étroites. Ensuite, les faire durcir dans l'eau, colorée en fonction de la teinte désirée, et les laisser dans la casserole, hors du feu, pendant 15 minutes. Les motifs se découperont en blanc sur les œufs teints lorsqu'on enlèvera les adhésifs.

• **Décor stylisé**

Entourer les œufs d'herbes (brins de cerfeuil, petites fougères, etc.), puis les envelopper un à un dans des chiffons ou des bas usagés et ficeler délicatement, mais en serrant. Les faire durcir dans une eau colorée et les laisser pendant 20 minutes dans la casserole, hors du feu : en principe, les herbes doivent apparaître décalquées sur les coquilles après déballage. Attention : la manipulation est délicate.

OIGNONS

Pour ne pas ***pleurer*** lorsqu'on épluche des oignons, il existe plusieurs trucs. À chacun d'essayer et de choisir : les tremper dans de l'eau chaude quelques instants avant de les peler ; procéder sous la hotte aspirante en fonctionnement, ou bien les mains à l'intérieur d'une poche plastique, ou encore sous un filet d'eau froide.

OMELETTE

• Il ne faut jamais fouetter les œufs : l'omelette serait compacte, mais les casser, puis mélanger les blancs et jaunes, en les assaisonnant, sans trop les faire mousser.
• Pour qu'elle soit bien ***moelleuse***, ajouter un peu d'huile (1 cuillerée à soupe pour sept ou huit œufs) lorsqu'on les bat.
• Pour qu'elle ***gonfle*** bien, on peut aussi ajouter aux œufs battus, avant de les faire cuire, au choix, un peu d'eau, de lait, ou de crème (1 cuillerée à soupe pour quatre œufs).
• Pour obtenir une omelette ***soufflée***, mélanger les jaunes avec la moitié des blancs seulement au départ, puis incorporer le reste des blancs battus en neige semi-ferme.

ORANGE PRESSÉE

Pour ***renforcer l'arôme*** du jus d'orange frais, frotter un morceau de sucre sur le zeste du fruit (non traité) préalablement lavé et le mettre dans le verre.

PAIN FRAIS

Il est toujours très difficile de le ***trancher***. Certains optent pour la scie à pain à dents fines, en la trempant dans de l'eau chaude entre chaque tartine, mais ce n'est pas la panacée.

En revanche, la scie à pain à dents fines est parfaite pour trancher du ***pain de mie*** frais, après avoir laissé celui-ci de 2 à 3 heures au réfrigérateur.

PANNE

C'est la graisse qui entoure les rognons du porc et donne le saindoux. Pour la faire fondre, il ne faut pas la couper en morceaux, mais la ***casser*** à la main : coupée, toutes les peaux, qui sont des déchets, sont conservées ; cassée, les cellules de graisse sont libérées car la peau qui les enveloppe est éliminée.

PANURE

Bien sécher l'aliment à paner avant de le passer dans l'œuf (ou dans le beurre fondu) en le frottant de farine et en secouant bien pour ôter l'excédent. Ainsi, la chapelure tiendra mieux.

Pour être sûr que la panure sera bien épaisse, passer l'aliment dans l'œuf battu puis dans la chapelure, et renouveler l'opération.

• A l'italienne

Remarquable pour paner les escalopes ou les côtes de veau, elle tient mieux et se marie à merveille avec les pâtes, garniture du veau par excellence : ajouter du parmesan râpé à la chapelure, à raison de un tiers pour deux tiers.

PARFUMS EN POUDRE

Tous les parfums en poudre (vanille, cannelle, café soluble, etc.) doivent être délayés dans du lait chaud et non froid, pour ne pas flotter ni former de grumeaux.

PASTENAGUE

Ce poisson peut légalement être vendu sous le nom de « raie ». Sa chair est bonne mais ne plaît guère à cause de sa couleur rouge. Attention, lors de la manipulation, car elle porte un ou deux aiguillons très venimeux sous la queue.

PASTILLA

*Voir : **Briks*** (page 14).

PÂTE MAISON

• Quantité de liquide

Quelle que soit la nature du liquide employé : lait, lait coupé d'eau, eau ou vin (certains beignets), la quantité qu'il faut utiliser ne peut pas être d'une extrême précision, car elle dépend de la qualité de la farine, de son type, de son temps d'entreposage, etc.

• Sur les mains

Pour éviter d'être pris au dépourvu si le téléphone sonne lorsqu'on est en train de la pétrir, poser un sac en plastique près du combiné pour pouvoir saisir celui-ci sans le salir.

PÂTE A BEIGNETS OU A CRÊPES

• La pâte à beignets est une pâte d'enrobage, il en faut donc assez peu : pour portions, la préparer avec 125 grammes de farine.

• La pâte à beignets ou à crêpes doit ***reposer*** de 1 à 2 heures avant d'être utilisée, couverte d'un linge et à température ambiante, de façon que les grains d'amidon de la farine se gorgent du liquide et gonflent, pour donner de l'onctuosité et faciliter la cuisson.

• Pour que beignets ou crêpes soient les plus ***légers*** possible, mettre seulement le jaune d'œuf dans la pâte, puis ajouter le blanc battu en neige légère en fin de préparation.

• Pour obtenir des beignets très ***croustillants***, mettre un peu d'huile dans la pâte.

• Souvent on ajoute, à tort, un autre œuf dans la pâte : si le premier est indispensable pour la lier et éviter qu'elle ne soit trop friable, un autre, en revanche, l'alourdirait, et beignets ou crêpes seraient compacts.

• La pâte à crêpes se délaie avec de l'***eau*** si on les veut fines et légères, avec du ***lait*** si on les préfère moelleuses et nourrissantes, ou bien avec de la ***bière*** si on les aime légères mais soufflées, avec une pointe d'amertume.

• Beignets salés

Pour obtenir des beignets bien ***gonflés***, ajouter un peu de bière dans la pâte et la laisser reposer pendant au moins 2 heures : la bière jouera le rôle de levure. A éviter pour les beignets sucrés, la bière pouvant communiquer une légère amertume à la pâte.

Pour des ***beignets de poisson*** ou ***de cervelle***, voire de certains ***légumes***, remplacer le lait de la pâte par du vin blanc sec : ils seront plus légers et plus croustillants, et la saveur des aliments sera rehaussée.

• Beignets ou crêpes sucrés

On oublie souvent d'ajouter une pointe de ***sel*** dans la pâte lorsque les beignets ou les crêpes sont des desserts, donc sucrés : pourtant, ce condiment relèvera également leur saveur.

On est tenté, en revanche, de mettre un peu de sucre dans la pâte : à éviter, car les préparations bruniront à la cuisson. Pour sucrer beignets ou crêpes, les parsemer de sucre en poudre ou de sucre glace en pluie dès que la cuisson est terminée, pendant qu'ils sont encore chauds.

Voir aussi : ***Bain de friture*** (page 10) ***Pâte à frire*** (page 50).

PÂTE A BRIOCHE

Il est important, lorsqu'on façonne de la pâte à brioche en grosse pièce ou en petites pièces, de bien la presser entre les mains avant de lui donner sa forme, de façon à chasser les gaz dégagés pendant qu'elle a levé ; sinon, la brioche présenterait de grosses cavités au découpage.

PÂTE A CHOUX

Cette pâte doit être utilisée dès qu'elle est prête : il faut façonner et cuire les choux

aussitôt, afin qu'ils soient bien gonflés.
*Voir aussi : **Choux ou éclairs*** et ***Choux pâtissiers*** (page 20).

PÂTE A CROISSANTS

C'est une pâte levée-feuilletée, qui doit fermenter moins longtemps qu'une pâte levée normale (de 30 à 45 minutes seulement). En revanche, il faut impérativement la mettre au réfrigérateur pendant 10 à 12 heures avant de la façonner, dans un récipient avec un couvercle.

PÂTE A FRIRE

Pour qu'elle soit légère, remplacer les deux cinquièmes de la farine de froment utilisée normalement par de la farine de riz, soit 50 grammes pour 125 grammes au départ. Pour cette quantité, utiliser un jaune d'œuf, puis, lorsque la pâte a reposé, incorporer deux blancs d'œufs en neige légère.

PÂTE A TARTE

• Lorsqu'on incorpore de l'eau dans une pâte à tarte, la pâte brisée notamment, ce doit être de l'***eau glacée***, pour que la pâte colle moins.
• Pour obtenir une pâte ***croustillante***, piquer l'abaisse de nombreux trous, en les répartissant bien, à l'aide d'un « pique-vite » (roulette spéciale) et la retourner avant d'en garnir le moule. Ainsi, la vapeur pourra s'échapper par ces petites cheminées pendant la cuisson.
• Pour ***imperméabiliser la pâte*** et éviter que la garniture ne la détrempe, y étaler une couche de blanc d'œuf non battu, à l'aide d'un pinceau, avant de la garnir.
• Pour ***abaisser la pâte en carré***, la faire pivoter d'un quart de tour à chaque tour de rouleau.
• Pour ***abaisser la pâte en rond***, la faire pivoter de un huitième de tour à chaque tour de rouleau.

PÂTE D'AMANDE

La pâte d'amande, parfumée et colorée, s'achète en pain. Pour en couvrir la surface d'un gâteau à la façon des pâtissiers, le plus simple est de l'abaisser au rouleau, à l'épaisseur désirée, comme s'il s'agissait d'une pâte à tarte. Enrouler l'abaisse autour du rouleau à pâtisserie, puis la poser sur le gâteau en la déroulant et couper l'excédent sur tout le pourtour.

PÂTE FEUILLETÉE

Pour réussir un feuilletage, il est indispensable que la détrempe (pâte de base) et la matière grasse soient à la même température.

• Couper

Pour couper un pâton de pâte feuilletée, il faut utiliser un couteau à lame large, fine et bien affûtée, sinon la pâte s'écrase, et un feuilleté aux bords écrasés ne se développe plus aussi bien : il est comme « soudé ».

• Piquer

Pour certaines pâtisseries (salées ou sucrées), la pâte ne doit pas se développer pendant la cuisson, afin de devenir croustillante et friable. Pour cela, il faut la piquer, au préalable, d'une multitude de petits trous, qui formeront autant de cheminées par lesquelles la vapeur s'échappera.

• Repos au frais

Pendant le travail du tourage, le beurre devient mou, voire fond s'il fait très chaud. Or la réussite d'une pâte feuilletée est la superposition de couches de détrempe et de couches de beurre : cela nécessite que le beurre reste solide. A chaque repos, entre les tours, envelopper le pâton dans du film étirable ou dans une poche plastique et le mettre dans le bac à légumes du réfrigérateur.

PÂTE LEVÉE

Pendant le temps de levée, toujours assez long, l'action de l'air durcit la surface de la pâte, formant une sorte de croûte nuisant à la qualité. On y pal-liera en couvrant le récipient d'un torchon humide.

PÂTISSERIES SALÉES OU SUCRÉES

Lorsqu'on sort une pâtisserie du four, il faut la poser sur une grille pendant tout le temps de son refroidissement, après son éventuel démoulage : ainsi, la vapeur s'échappera facilement, et la pâte, selon sa nature, restera croustillante ou moelleuse.

PAUPIETTES DE VEAU

Pour préparer des paupiettes ***moelleuses***, choisir de fines tranches dans le bas de carré ou dans le carré découvert, et non de fines escalopes dans les morceaux les plus nobles, qui se dessécheront à la cuisson.

PÊCHES

Pour peler facilement des pêches dont la peau adhère à la chair, les mettre dans une passoire et les plonger 30 secondes dans une grande casserole d'eau bouillante.

• Au vin

Pour changer du sempiternel sirop au vin rouge, essayer un sirop au vin blanc liquoreux (pas plus de 100 grammes de sucre par demi-bouteille). Parsemer de menthe fraîche poivrée finement ciselée après refroidissement et mettre au réfrigérateur pour servir glacé : c'est là le secret.

PERCHE

Il faut l'***écailler*** à sa sortie de l'eau, car il devient pratiquement impossible de le faire au bout d'un certain temps : on doit alors dépouiller le poisson.

PETITS POIS

On peut les préparer en ***salade*** : les jeter dans de l'eau salée en ébullition pour les cuire légèrement, al dente. Les mettre dans une passoire, les passer sous l'eau froide et bien les égoutter de nouveau. Les assaisonner d'huile et de jus de citron, puis ajouter des herbes vertes au choix, sans oublier la menthe.

PIGEON

Ce volatile ne possède pas de fiel : inutile de chercher à nettoyer le foie.

PIMENT

Lorsqu'un plat réclame du piment, ne pas croire qu'il ne faut plus poivrer. Il s'agit, en effet, de deux épices différentes qui se complètent mais ne se substituent pas l'une à l'autre.

PLIE

La plie, ou carrelet, est un des poissons les plus faciles à reconnaître, grâce aux taches rouge orangé réparties sur toute la surface de son côté coloré. On n'enlève pas la peau, mais faire attention en la manipulant, car elle porte sur la tête, à l'avant de la ligne latérale, des sortes de tubercules épineux dont la ***piqûre*** est douloureuse.

POCHE A DOUILLE

La poche à douille est bien pratique pour les gâteaux en pâte à choux, ou pour les décorations en chantilly, mais qu'il est fastidieux de laver la poche en tissu ! La solution consiste à remplacer cette dernière par un petit sac en plastique alimentaire de la dimension voulue, dans le fond duquel on coupera un angle de façon que le trou fermé soit inférieur au diamètre de la douille choisie. Après usage, inciser le sachet pour récupérer la douille et jeter le sachet.

POIREAUX

• Laver

Fendre les poireaux sur le tiers de leur longueur, côté vert, puis recommencer une seconde fois en croix. Le poireau, ouvert comme un bouquet, pourra être nettoyé jusqu'au cœur.

• Tailler en julienne

Le poireau ne se râpe pas, comme la carotte. Pour faire une julienne, le couper en deux dans le sens de la longueur ; poser une moitié à plat sur une planche, la couper à son tour dans la longueur, en très minces tranches. Réunir les tranches et les tronçonner ensemble à la taille voulue. Pratiquer de même avec la seconde moitié.
Voir aussi : ***Céleri-branche*** (page 17).

POIS CASSÉS

Il est inutile de faire tremper les pois cassés, car ils n'ont plus de peau, et le trempage a pour but de la ramollir. Cela compromettrait même leur cuisson, car ils se mettraient en purée.

POISSON

Nettoyer un poisson, le rendre propre à la consommation, c'est, en langage de professionnel, l'« habiller ».

• Ébarber

Cette opération consiste à couper les nageoires avec des ciseaux et, la plupart du temps, à sortir la partie interne de la nageoire pleine d'arêtes (sole et autres poissons plats notamment). Il existe toutefois plusieurs écoles : certains cuisiniers éliminent toutes les nageoires, d'autres laissent les nageoires dorsales, car elles « retiennent » les chairs pendant la cuisson ; d'autres, enfin, préfèrent conserver la nageoire caudale (la queue), parfois en la taillant en V.

• Écailler

Il faut toujours écailler un poisson avant de le vider, les parois ventrales rebondies facilitant l'opération. Pratiquer, en partant de la queue pour remonter vers la tête, avec le dos de la lame d'un couteau d'office, afin de ne pas risquer d'entamer la peau.
Laisser ce soin au poissonnier pour la dorade, car ses écailles sautent partout.
Il existe une autre façon de procéder pour écailler facilement un poisson : au lieu d'utiliser un couteau, le râcler avec le bord d'une coquille Saint-Jacques (réservée à cet usage), en allant de la queue vers la tête.
Enfin, cette opération sera encore plus facile si on a pris la précaution de poudrer le poisson de gros sel au préalable (cela est valable également pour retirer la peau d'une anguille).

• Éviscérer

Il ne faut surtout pas dédaigner cette étape, qui permet de récupérer, éventuellement, les rogues (poches à œufs), les laites (poches à laitance) et, pour certaines espèces (les rougets notamment), les foies.
• ***Éviscérer en étêtant le***

poisson : couper la tête au ras du corps, côté dos, avec un couteau à forte lame, sans la sectionner complètement. La pencher vers l'avant en la tirant délicatement pour entraîner toutes les entrailles. Si le poisson est long, finir de le vider avec le manche d'une cuillère ou d'une louche.

• ***Éviscérer sans étêter ni ouvrir le poisson :*** introduire une des branches d'une paire de ciseaux dans l'anus, couper la cavité ventrale sur 2 centimètres en remontant vers la tête, puis, à l'aide du manche d'une petite cuillère introduite dans cette cavité, décoller toutes les viscères adhérant à la paroi. Saisir alors les branchies (les ouïes) avec un linge fin et tirer délicatement pour entraîner toutes les entrailles. Laver en faisant couler de l'eau à l'intérieur.

• Laver

Il ne faut pas toujours laver un poisson : s'il s'agit de ***filets***, ne pas mouiller la chair mise à nu, plus ou moins spongieuse, car elle perdrait de sa saveur. Si cela est nécessaire, frotter seulement le côté encore muni de peau avec un linge fin, éventuellement humide.

Si le poisson est destiné à une ***préparation au bleu*** (réservée aux brochets, carpes, truites, c'est-à-dire aux poissons à limon), le limon le recouvrant doit être préservé : il ne faut donc pas le laver, ni trop le manipuler.

• Détailler des filets

Pour détailler des filets en « goujonnettes », il faudrait, selon les puristes, découper dans les filets des morceaux de la taille et de la forme de petits goujons. Le plus souvent, on découpe les filets dans leur largeur, en bandes, en procédant en biseau.

POISSONS D'EAU DOUCE

Dès qu'un pêcheur sort sa prise de l'eau, il doit l'***assommer*** en lui tapant la tête contre une pierre dès qu'elle est décrochée de l'hameçon : la chair sera meilleure que si le poisson meurt asphyxié dans le panier.

POISSONS DE GROSSE TAILLE A RÔTIR

Pour rôtir un gros poisson, il existe deux façons de procéder :

• Dans le plat à rôtir, verser une couche de 1 millimètre d'huile, ajouter les éventuels aromates donnés dans la recette et placer une grille. Y poser le poisson, après avoir introduit à l'intérieur de la cavité ventrale une bonne noix de beurre, du sel et du poivre. Mettre au four préchauffé à 210 °C et compter de 15 à 18 minutes de cuisson (selon l'épaisseur) pour un poisson de 1 à 1,200 kg.

• Ne pas écailler le poisson, le vider simplement, puis procéder comme précédemment. Dans ce cas, pour servir, il faut dénuder le poisson en retirant la peau en même temps que les écailles.

POISSONS DE MER

Pour préserver leur goût, on peut les laver à l'eau fortement salée.

POISSONS PLATS

• Désosser

Pour pouvoir farcir un poisson plat, il faut le désosser (on ne dit pas désarêter) après l'avoir écaillé, vidé et lavé, la peau sombre étant éventuellement retirée selon l'espèce : inciser la chair (côté peau sombre, qui est la face la plus épaisse) tout le long de la ligne latérale, de la tête à la queue, en conservant celle-ci.

Glisser un couteau flexible entre la chair et l'arête pour décoller le filet, sans le lever. Avec des ciseaux, couper l'arête juste au-dessous de la tête et juste au-dessus de la queue, la dégager de la chair délicatement, afin de ne pas entraîner celle qui adhère sur l'autre face.

• Retirer la peau sombre

En général, on retire cette peau, également appelée « toile », mais pas toujours : la limande, par exemple, échappe à cette opération, alors qu'elle est courante pour la sole.

L'opération consiste à inciser la peau sombre juste au-dessus de la queue, la saisir avec un linge, la tirer vers la tête par petites secousses, en veillant surtout à ne pas déchirer la chair, assez fragile.

*Voir aussi : **Turbot*** (page 65).

POISSONS RONDS

Pour ***désosser*** un poisson rond, afin de le farcir, l'idéal est qu'il ait été vidé sans ouvrir la cavité ventrale.

L'inciser tout le long du dos, faire glisser la lame du couteau entre la chair et l'arête sur les deux faces. Avec des ciseaux, sectionner l'arête juste au-dessous de la tête et juste au-dessus de la queue, puis la retirer.

La farce se glisse à l'intérieur, à la place de l'arête, avec une spatule souple.

POIVRONS

Il existe plusieurs façons de les ***peler***, selon que l'on désire la chair encore crue ou cuite.

• Entiers

Les passer à la flamme ou les mettre dans le four, sous la voûte allumée, en les retournant souvent, jusqu'à ce que la pellicule qui les recouvre extérieurement se boursoufle ; les envelopper alors dans un linge, de préférence humide, puis retirer cette pellicule. Il n'y a plus qu'à les équeuter et à les épépiner.

• Coupés

Les équeuter, les couper en quatre ou en huit dans le sens de la longueur en les épépinant. Ensuite, il y a deux façons de procéder : les peler à l'économe sur leur face extérieure, la chair restant crue ; ou bien les poser dans une poêle contenant un peu d'huile, sur leur face extérieure, mettre à feu doux jusqu'à ce qu'ils commencent à s'affaisser, les prélever avec une écumoire et ôter la pellicule qui se détache alors toute seule ; dans ce cas, la chair est à moitié cuite ou cuite.

POMMES DE TERRE

• En purée

Pour l'alléger, ajouter au dernier moment un blanc d'œuf battu en neige.

• En salade

Pour éviter qu'elles ne s'imprègnent trop d'huile, les arroser d'abord avec un peu de vin blanc sec pendant qu'elles sont encore chaudes. Ensuite, assaisonner normalement.

• Frites

Tout le monde en raffole. Alors, puisqu'il existe mille et une manières de les présenter, selon la façon dont on les coupe, pourquoi bouder son plaisir et ne pas en profiter pour étonner proches et convives ?

• Si l'on opte pour le style classique, elles seront taillées dans le ***sens de la longueur*** : les ***pont-neuf***, les plus traditionnelles, sont longues et épaisses de 1 centimètre environ ; les ***paille*** sont des bâtonnets qui ont 4 millimètres d'épaisseur ; si ces derniers ne font que 3 millimètres, ce sont des ***allumettes*** ; enfin, avec une fine râpe à julienne, on peut aller jusqu'au cheveu (que l'on utilise pour faire les ***nids***).

• Si on les préfère ***rondes***, on n'aura que l'embarras du choix : les plus adroits pourront se lancer, avec des tranches de 4 millimètres d'épaisseur, dans la réalisation des ***pommes soufflées*** ; les autres se contenteront de copeaux irréguliers de même épaisseur pour préparer des ***chatouillards***, ou bien des ***liards***, avec des tranches plus minces, de 3 millimètres environ, ou encore des ***chips***, si elles sont très fines, à la limite de la transparence ; enfin, évidées comme des pommes fruits, puis cannelées et coupées en rondelles de 4 millimètres d'épaisseur, elles se transformeront en ***collerettes***.

• Après avoir épuisé les ressources des longues et des rondes, il reste les ***fantaisies*** : les ***copeaux*** sont un long ruban taillé en tournant autour de la pomme de terre, sans le casser ; les ***bénédictines*** sont une spirale obtenue avec un petit ustensile spécial ; tranchées assez finement avec un ustensile en forme de tôle ondulée, en coupant une fois dans un sens, puis une fois dans l'autre, et en faisant tourner la pomme de terre d'un quart de tour, on obtient des ***gaufrettes***, qui ressemblent à du grillage ; enfin, les plus rapides à tailler, qui seront simplement coupées en dés, seront servies ***en bataille***.

• Nouvelles

Attention : les pommes de terre nouvelles grattées sont conservées dans un bain de sulfite de soude gazéifié à l'anhydride carbonique ; il est donc indispensable de bien les laver avant de les utiliser.

PORC DEMI-SEL

Pour une préparation pochée (soupe ou cuisson à l'eau), comme le petit salé, préférer le porc demi-sel au porc frais : la viande aura un bel aspect rosé (le porc frais après cuisson est gris) et elle sera plus goûteuse. Ne pas oublier de blanchir le demi-sel avant de l'introduire en cuisson.

PORCELET

Lorsque l'animal est cuit entier, au four ou à la broche, vérifier la cuisson en transperçant la peau avec une aiguille à brider, à la jointure de la cuisse et du corps côté interne : le jus qui perle doit être incolore ; s'il est rosé, la cuisson doit être poursuivie.

POTAGE

On compte toujours 25 centilitres par personne, cuisson terminée, sauf pour les petits consommés glacés ou précieux, dont la portion, en général, ne dépasse pas 15 centilitres.

POTIRON

• Éplucher

Ôter d'abord les graines, puis les fibres qui les entourent. Couper ensuite le potiron en cubes, en laissant l'écorce, car il est très difficile de l'enlever sur un gros morceau. En revanche, cela va être facile sur les petits.

• Préparer une purée

Cuire les morceaux de chair de potiron selon l'habitude. Lorsqu'ils sont tendres, les passer au moulin à légumes. Remettre en casserole à feu doux et remuer jusqu'à obtention d'une consistance épaisse, l'excès d'eau étant évaporé. Ajouter alors de la crème fraîche et continuer à remuer pour retrouver la consistance d'une purée. A la dernière seconde, incorporer deux œufs battus en omelette (dont on aura pris soin d'ôter les germes), enlever aussitôt la casserole du feu et ajouter quelques morceaux de beurre. Rectifier l'assaisonnement.

POT-AU-FEU

Pour préparer un pot-au-feu de qualité, utiliser plusieurs morceaux de viandes différentes, trois étant l'idéal : du plat-de-côtes découvert non désossé (chair maigre) ; du jumeau ou de la macreuse (viande gélatineuse moelleuse) ; au choix, selon le goût, bavette à pot-au-feu, gîte arrière, griffe ou bout de poitrine (deux morceaux assez gras), veine grasse (maigre alterné de gras), ou bien joue (morceau maigre, moelleux et gélatineux, mais un peu mou).

Bien sûr, pour la saveur du bouillon, ne pas oublier les os : chardaise, crosse, nourrice, et, pour les amateurs, ceux à moelle (à cuire à part dans du bouillon prélevé dans la marmite pour ne pas rendre gras celui-ci).

Voir aussi : ***Os à moelle*** (page 101).

POTS PARAFFINÉS

Pour conserver hermétiquement de petites quantités, ne jamais verser une préparation trop chaude dans un pot paraffiné, car la paraffine fond à 50 °C.

POULET FROID

Quand on fait cuire un poulet au four en vue de le manger froid, le sortir du four dès qu'il est rôti à point, puis l'enfermer aussitôt dans une cocotte en fonte pour le laisser refroidir : sa chair sera beaucoup plus tendre. A défaut de cocotte en fonte, l'envelopper de plusieurs épaisseurs d'aluminium ménager spécial congélation.

Le but est de laisser le temps aux sucs de se répartir à l'intérieur des chairs, en évitant la déperdition de la chaleur.

PRAIRES

Avant de les ***ouvrir***, il est indispensable de les brosser sous l'eau courante, car les rainures de ce coquillage étant remplies de petits débris calcaires, elles risquent de souiller la chair à l'ouverture.

Attaquer la charnière avec le milieu de la lame d'un couteau fort en exerçant une pression, et la faire pivoter entre les valves.

Si les praires sont présentées crues, il est d'usage de laisser la coquille supérieure en place.

Il est parfois difficile, voire impossible, si on manque de force, de les ouvrir. Dans ce cas, on pourra les préparer comme les moules, en marinière, après les avoir bien lavées : c'est excellent.

PRUNEAUX

S'ils ne viennent pas d'être récoltés, ils gagnent à être ***trempés*** pour retrouver leur volume et leur moelleux. On profitera de cette opération pour leur donner une saveur qui se mariera avec les préparations dans lesquelles ils entreront. Pour un plat en sauce, on les fera tremper dans une réduction de vin blanc ou rouge avec des épices (girofle, cannelle, herbes) ; s'ils sont utilisés en pâtisserie, ils marineront dans du thé au jasmin ou d'un autre parfum, ou dans un sirop léger vanillé ; dans les deux cas, on peut également les safraner.

PURÉE

*Voir : **Pommes de terre*** (page 56).

QUATRE-QUARTS

Le poids des œufs étant déterminant dans cette recette, il est bon de savoir qu'une coquille d'œuf pèse 5 grammes : selon le calibre, il sera ainsi facile de calculer leur poids exact.

RADIS

Pour former de jolies fleurs, il suffit, après épluchage, de les inciser en croix au sommet avant de les faire tremper dans de l'eau glacée légèrement salée.

RAIE

Si on la déguste chaude, il faut la servir dès qu'elle est cuite, car c'est un poisson gélatineux, qui « colle » à la bouche en tiédissant. Par contre, après refroidissement, on peut la débarrasser de toute la partie gélifiée et la servir avec une vinaigrette très persillée.

RAISINS SECS

Pour ***réhydrater*** rapidement des raisins secs, et gagner ainsi de 1 à 2 heures, les mettre dans un bol, les recouvrir d'eau juste à hauteur, les passer de 1 à 2 minutes au micro-ondes, à 100 p. cent de la puissance, puis laisser reposer pendant 5 minutes. Égoutter les raisins, qui auront retrouvé tout leur moelleux.

RIS

Pour ***escaloper*** facilement des ris, les mettre entre deux linges sur une planche, après les avoir blanchis, rafraîchis et parés. Poser une autre planche dessus, surmontée d'un poids assez lourd, pour les aplatir, et les laisser ainsi au frais pendant 1 à 2 heures. Il est ensuite très facile de les escaloper en tranches présentables de l'épaisseur voulue.

ROGNONS

• Pour éviter qu'ils ne se ***fripent*** et, surtout, ne se recroquevillent à la cuisson, ôter la fine pellicule transparente qui les recouvre.
• Pour supprimer toute ***odeur*** d'urine, les fendre en deux dans le sens de la hauteur et retirer toutes les parties blanches.

ROGNONS BLANCS

Voir : ***Animelles*** (page 9).

RUBAN

« Faire le ruban » est une expression que l'on emploie surtout en pâtisserie, lorsqu'on bat des œufs avec du sucre avant d'incorporer d'autres ingrédients : le mélange, soulevé avec une spatule, doit s'écouler comme un large ruban de satin qu'on déroulerait. C'est la preuve qu'il est suffisamment épais et homogène.

SABAYON

Voir : ***Mayonnaise*** (page 43).

SAINT-JACQUES

Voir : ***Coquilles Saint-Jacques*** (page 23).

SAINT-PIERRE

Pour obtenir des ***filets*** impeccables à la présentation et éviter qu'ils ne se cassent en les manipulant, il faut les partager en trois avant la cuisson : les prendre en main et, avec le doigt, tâter pour déceler l'endroit où va se produire la cassure (c'est facile). Couper carrément à cet endroit : chaque filet donnera ainsi trois filets plus petits, qui, eux, ne se briseront pas.

SALADE

• Pour redonner toute sa ***fraîcheur*** à une salade qui aurait pris un petit coup de chaud, ou aurait un aspect légèrement fripé, la faire tremper pendant 1 heure dans de l'eau fraîche additionnée d'un peu de vinaigre et d'un morceau de sucre.
• Ne pas dédaigner les ***feuilles vertes*** des salades, sous prétexte qu'elles sont moins tendres : recevant directement le soleil et la lumière, ce sont celles qui contiennent le plus de vitamines. Les ciseler simplement plus finement.

SANDWICHES

Pour que les sandwiches restent bien frais lorsqu'on les emporte pour un pique-nique, les envelopper d'un torchon humide bien essoré.

SANG

Pour préparer une ***liaison***, incorporer 2 cuillerées à soupe environ de bon vin rouge corsé pour 10 centilitres de sang, dès qu'on l'a recueilli, bien fouetter, couvrir et mettre au réfrigérateur. Avant d'utiliser, passer éventuellement au mixeur s'il y a de petits caillots. On peut aussi passer au mixeur si l'on veut lui mêler le foie, après avoir ôté toutes les peaux de ce dernier.

SAUCE

Pour ***adoucir*** une sauce trop salée, il suffit d'y plonger un morceau de sucre placé dans une cuillère à soupe pendant quelques secondes, sans le laisser tomber : il absorbera l'excédent de sel. Le retirer avant qu'il ne fonde.

SAUCE DE SOJA

Lorsqu'on utilise de la sauce de soja (ou shoyu) dans une préparation, éviter de saler. Rectifier plutôt l'assaisonnement en fin de cuisson.

SAUCE HOLLANDAISE

- **Fluidifier**

Si elle est trop épaisse, ajouter de un tiers à une demi-cuillerée à café d'eau glacée pour ralentir la cuisson, et poursuivre la préparation en réglant bien la chaleur du bain-marie.

- **Rattraper**

Si elle se décompose, la verser dans un bol. Mettre un jaune d'œuf dans une casserole et incorporer la sauce petit à petit, sans cesser de fouetter, en mince filet. Remettre au bain-marie et poursuivre la préparation.

SAUCISSON

Voir : ***Cervelas*** (page 18).

SAUMON FUMÉ

S'il est trop ***desséché***, il suffit de le servir différemment : le cuire à la vapeur, comme du haddock, et l'accompagner de petites pommes de terre en robe des champs et de beurre frais.

SCORSONÈRES

Pour éplucher facilement des scorsonères, il suffit de leur faire passer la nuit dans une cuvette remplie d'eau froide.

SEICHES

Voir : ***Calmars*** (page 15).

SIROP POUR SAVARIN

Pour un savarin de huit personnes (ou seize petits babas),

compter environ 50 centilitres de sirop de sucre parfumé, le plus souvent au rhum ambré.

SOLE

Ce poisson, contrairement à d'autres, ne ***s'ébarbe pas*** avant la cuisson, mais après : avec le dos d'un couteau, on tire sur les nageoires pour entraîner toutes les petites arêtes implantées sur le pourtour du poisson.

En revanche, il est d'usage de retirer la peau sombre, ce dont le poissonnier se charge en général. Avant la cuisson, ne pas oublier d'écailler la peau blanche, et bien l'essuyer.

SORBETIÈRE

Avant de la mettre au freezer ou au conservateur, humidifier l'endroit où elle sera posée. Ainsi, l'eau, en congelant, assurera une parfaite adhérence entre l'élément réfrigérant et la surface du récipient, condition indispensable à la bonne réussite des glaces et des sorbets, dont la prise sera alors beaucoup plus rapide.

SOUFFLÉ

Pour réussir un soufflé, démarrer la cuisson à 180 °C et l'augmenter à 210 °C seulement après qu'il a monté, et ***sans jamais ouvrir le four***. Cuire alors pendant 6 à 7 minutes.

En outre, pour qu'il ne s'affaisse pas, le nombre de jaunes d'œufs doit être supérieur à celui des blancs.

• Au fromage

Il aura une bien meilleure tenue si, au lieu d'incorporer tout le fromage râpé à la béchamel, on ne râpe les deux tiers et que l'on coupe le reste en petits dés.

STEAK HACHÉ

Il est impératif de le consommer dans les vingt-quatre heures suivant l'achat, même s'il est sous cellophane : les bactéries s'y développent très rapidement et il pourrait devenir toxique. Sinon, on peut acheter un steak, le conserver en zone froide du réfrigérateur et le hacher soi-même juste avant le repas.

SUCRE VANILLÉ

Pour parfumer, entre autres, les crèmes et les entremets, rien ne vaut le sucre vanillé maison, d'une saveur incomparable et meilleur marché : mettre une dizaine de gousses de vanille dans un bocal assez haut et recouvrir complètement de sucre en poudre. Fermer hermétiquement. Secouer le bocal de temps en temps. Attendre au moins quinze jours avant d'utiliser. Ajouter du sucre en poudre après chaque utilisation.

Renouveler les gousses de vanille une fois par an, en les

conservant pour la préparation de crèmes ou entremets.

TANCHE

C'est un des poissons d'eau douce les plus appréciés pour la saveur de sa chair et parce qu'il est facile de retirer ses arêtes.

Si le pêcheur prend le soin de l'enfouir dans de l'herbe fraîche dès qu'il l'a décrochée de l'hameçon, il pourra ramener ses prises, même au bout de quelques heures, encore bien vivantes.

TARTE

• Graisser le moule

Pour faciliter le démoulage après cuisson, graisser le moule uniformément, avant d'y mettre la pâte, avec du beurre, de l'huile, ou bien du saindoux pour les tartes salées.

• Obtenir un bord régulier

Il existe deux façons de procéder, selon qu'on le veut ***simple*** ou ***épais***.

Dans le premier cas, une fois le moule garni, rabattre l'excédent d'abaisse vers l'extérieur et passer le rouleau sur le moule, pour couper l'excédent de pâte.

Dans le second cas, rabattre l'excédent d'abaisse vers l'extérieur, le couper régulièrement sur tout le pourtour à une hauteur égale à la hauteur du rebord du moule et le replier à l'intérieur.

Dans les deux cas, pincer régulièrement la pâte sur tout le pourtour entre le pouce et l'index pour le cranter et former une crête.

• Quantité et épaisseur de la pâte

La quantité de pâte à préparer dépend du diamètre de la tourtière. En général, les proportions sont les suivantes :

10 centimètres : 60 grammes.

15 centimètres : 120 grammes.

20 centimètres : 220 grammes.

25 centimètres : de 300 à 320 grammes.

30 centimètres : de 400 à 420 grammes.

L'épaisseur de la pâte dépend aussi du diamètre de la tourtière :

10 et 15 centimètres : 2 millimètres d'épaisseur.

20 centimètres : 2,5 mm.

25 et 30 centimètres : 3 mm.

• Transporter l'abaisse

Pour faciliter cette opération, retourner l'abaisse après l'avoir piquée, l'enrouler sur le rouleau à pâtisserie, amener celui-ci au-dessus du moule... et dérouler la pâte en la faisant glisser le long du rebord du moule pour qu'elle épouse parfaitement celui-ci.

Voir aussi : ***Pâte à tarte*** (page 50).

TARTE AUX FRAISES

Il ne faut pas faire cuire les fraises. On dore et on cuit la pâte à blanc. On la démoule sur une grille, puis on la laisse refroidir pendant 5 minutes environ, avant de la garnir, éventuellement, d'une couche de crème pâtissière et de poser les fraises sur leur base. Pour que la tarte soit agréable à l'œil, disposer les plus petites sur le pourtour, puis les moyennes et, enfin, les plus grosses au centre. Ensuite, avec un pinceau, badigeonner les fraises de gelée de groseilles délayée dans un bol avec un peu de sirop de fraise : ainsi, elles ne terniront pas à l'air, elles brilleront et l'acidité de la groseille exaltera leur saveur.

TERRINE DE PÂTÉ

• Tranchage

Une fois la préparation cuite et refroidie, la laisser reposer au réfrigérateur au moins vingt-quatre heures pour faciliter le démoulage et, surtout, le tranchage.

• Utilisation des os

Si l'on désosse une volaille, du lapin ou un lièvre pour confectionner une terrine, ne pas jeter les os : les cuire à part avec un peu de bouillon, ou de vin blanc ou rouge, ou encore de porto, selon la nature de la préparation, avec des aromates, jusqu'à réduction des deux tiers, puis les passer au chinois. On obtiendra ainsi une délicieuse gelée à concasser pour présenter les tranches, et dans laquelle on pourra, éventuellement, faire dissoudre un peu de gélatine.

THÉIÈRE OU CAFETIÈRE

Pour éviter qu'une cafetière ou une théière dont on se sert occasionnellement ne sente le renfermé, y mettre un morceau de sucre avant de la ranger. Il suffira de la rincer au moment de l'utiliser.

TOMATES

• Confire

Il faut choisir les variétés ***olivette*** ou ***roma***, car elles sont bien en chair, ont peu de graines et contiennent peu d'eau.

• En salade

Pour lui donner plus de saveur, couper et épépiner les tomates la veille et les mettre au réfrigérateur dans un récipient hermétiquement fermé. Deux heures avant de les servir, les assaisonner simplement avec la vinaigrette, les remettre au réfrigérateur, puis ajouter les herbes au dernier moment.

• **Farcir**

Faire dégorger les tomates au préalable avec un peu de sel, afin qu'elles ne rendent pas trop d'eau à la cuisson. Ou, mieux encore : déposer une cuillerée à café de grains de riz au fond de chaque tomate, qui absorbera l'excédent d'eau et cuira en même temps que la farce.

• **Peler**

Ôter la partie correspondant à l'emplacement du pédoncule, puis, si le fruit est à bonne maturité retirer la peau, qui doit venir facilement ; si les tomates ne sont pas tout à fait mûres, les plonger pendant quelques secondes dans de l'eau frémissante, mais pas en ébullition, puis les passer sous l'eau froide avant de les peler.

TOMATES PELÉES EN CONSERVE

Hors saison, les tomates fraîches sont presque toujours décevantes. Dans les préparations cuisinées, ne pas hésiter à utiliser les tomates pelées en conserve, entières ou concassées : elles sont bien meilleures et beaucoup plus avantageuses.

TOURTE

Lorsqu'on prépare une tourte, prévoir 30 p. cent de pâte en plus pour le couvercle.

TURBOT

Lorsqu'on dépouille un turbot, l'usage veut que l'on incise la peau de 2 à 4 centimètres au-dessus de la queue, en biais, de façon à en laisser un morceau visible.

Cette habitude est née d'un usage ancien en restauration : ce petit morceau de peau était la preuve qu'il s'agissait bien de turbot, et non de flétan.

VANILLE

• Il est souvent conseillé, notamment dans les recettes de grands chefs, de ***fendre en deux*** la gousse de vanille pour qu'elle rende plus de parfum. Le seul inconvénient est que la préparation est alors constellée d'une multitude de petits points noirs qui peuvent gâcher l'aspect esthétique d'une belle crème anglaise ou d'une crème glacée. On peut donc préférer une vanille de bonne origine, et une gousse neuve.
• Une gousse de vanille de bonne qualité peut être utilisée deux ou trois fois. Il faut la laver soigneusement et bien la sécher avant de la réutiliser. Lors de la dernière utilisation, on la fendra dans le sens de la longueur, pour obtenir le maximum de parfum, et l'on tamisera la préparation pour éliminer les petits points noirs.
• Pour développer toute la puissance aromatique d'une gousse de vanille, la mettre au micro-ondes dans un bol d'eau,

programmer 2 minutes à 100 p. cent de la puissance, puis l'égoutter et la fendre en deux avant de l'introduire dans le lait : la vanille aura perdu son aspect fripé et dégagera un arôme incomparable.

VAPEUR

- La cuisson à la vapeur permet de ***blanchir*** les légumes sans les ramollir, en préservant au maximum vitamines et sels minéraux, solubles dans l'eau.
- ***Peler*** les légumes ou les fruits délicats (tomates, pêches, par exemple) devient un jeu d'enfant si on les passe au préalable à la vapeur pendant quelques minutes : ils ne seront pas ramollis.
- Il est très simple de ***réhydrater*** des fruits secs (abricots, pruneaux ou raisins) à la vapeur : au bout de quelques minutes, les fruits gonflent et retrouvent tout leur moelleux, sans être gorgés d'eau.

VIANDE A RÔTIR

Les pièces de grosse taille (pavés de bœuf ou de veau de 2 kilos ou plus, gigot) conservées au réfrigérateur doivent être sorties au moins 1 h 30 mn avant la cuisson, sans enlever leur emballage, afin de revenir à température ambiante. Sinon, il faudra ajouter à leur temps de cuisson normal ce temps de remontée en température, et la saveur y perdra.

Saler très légèrement une viande rouge au départ : lorsqu'on la tranchera pour la servir, on parsèmera les tranches d'un peu de gros sel, celui-ci faisant bien ressortir le goût de la viande.

VIANDE CRUE A HACHER

Le mixeur donne de la purée mêlée de dés plus ou moins grossiers et inégaux. Pour le hachage régulier, rien ne vaut la bonne machine à hacher : celle de grand-mère, à manivelle, ou la moderne, électrique.

VIANDE DEMI-SEL

Pour ***blanchir*** une viande demi-sel, procéder comme pour le lard (voir page 40), mais en prévoyant une volume d'eau beaucoup plus important, afin que la prise de frémissement soit plus lente.

VIANDE FRAÎCHE

Pour pouvoir la ***trancher finement*** avec un couteau ou une machine à trancher, sans qu'elle glisse sous la lame, il faut la laisser au réfrigérateur, dans le compartiment à 18 °C, pendant 3 à 4 heures. A retenir pour préparer un ***carpaccio*** maison.

VIANDES RÔTIES

Il faut toujours laisser ***reposer*** une viande rôtie avant de la découper. La sortir du four et du plat, l'envelopper d'une feuille d'aluminium, pour qu'elle ne refroidisse pas, et la laisser reposer, en principe le même temps qu'elle a cuit, en la retournant une fois : les sucs qui se sont concentrés au centre de la pièce vont ainsi pouvoir se rediffuser jusqu'à la surface, et la viande sera plus juteuse et plus goûteuse.

S'il s'agit d'une grosse pièce, le temps de repos étant relativement long, couvrir la viande, enveloppée d'aluminium, avec un linge épais, pour éviter qu'elle ne refroidisse.

• Découpe

Pour trancher une viande rôtie, utiliser un couteau à lame longue et mince, bien affûtée, en coupant légèrement en biais (comme les rondelles de saucisson) : la viande sera plus tendre à la dégustation.

Les tranches doivent être d'autant plus minces que la viande sera plus persillée.

Réserver le jus obtenu au tranchage pour la sauce.

Si la viande est bardée et ficelée, ôter la ficelle et la barde qui ne serait pas fondue. Si elle porte son gras naturel, le laisser, car il ajoute énormément au goût.

• Sauce d'accompagnement

Ne pas se contenter du jus de cuisson. Une fois la viande sortie du four, pendant qu'elle repose, préparer la sauce à la façon des cuisiniers professionnels : déglacer le plat de cuisson avec de l'eau, ou mieux, du porto, du madère, du jus de truffe, etc., préalablement chauffé dans une petite casserole ; bien gratter les sucs de cuisson pour les dissoudre et reverser le tout dans la casserole. Ajouter le jus recueilli lors du tranchage, mettre à feu vif et fouetter en incorporant petit à petit des noisettes de beurre ferme. Rectifier l'assaisonnement.

VINAIGRE

Pour ***adoucir*** un vinaigre trop fort, mettre une branche d'estragon, une gousse d'ail et un morceau de sucre dans la bouteille. Au bout de quelques jours, il sera adouci et... parfumé.

VINAIGRETTE

• Tout en respectant la composition de base d'une vinaigrette (trois quarts d'huile, un quart de vinaigre, du sel et du poivre), on peut jouer avec les saveurs, et obtenir des sauces très différentes selon l'aliment à assaisonner.

On utilisera une ***huile neutre***, comme l'***arachide***, si on ne veut pas modifier le goût des produits ; de l'huile ***d'olive*** avec les coquillages, les crustacés, certains poissons, le veau, le bœuf, les champignons (ceux-ci aimant également la ***crème fraîche)***, le fenouil, les pâtes, les pois chiches, les tomates, etc. ; de l'huile de ***noisette***, de ***noix*** ou de ***pignon*** avec les fonds d'artichauts, les avocats, les endives, la mâche, la jeune laitue, les poireaux, certains coquillages et poissons, les blancs de volaille, etc. Pour nuancer les parfums, on peut aussi mélanger une huile neutre et une huile parfumée.

Le ***vinaigre*** on peut être du vinaigre de ***vin blanc***, de ***vin rouge*** (le vinaigre d'alcool est à réserver pour les marinades et les conserves, mais ne s'utilise pas dans une vinaigrette) ou de ***vins spéciaux*** : champagne, xérès ou autres. Quel qu'il soit, le choisir plutôt vineux et titrant au moins 6°. Éviter les vinaigres aromatisés aux herbes : ajouter plutôt des herbes fraîches.

Même s'il ne s'agit plus, alors, de vraie vinaigrette, on peut utiliser des ingrédients tels que le ***citron***, à la place du vinaigre (les puristes appellent cette sauce « citronnette »), et la ***moutarde***, l'ajout de cette dernière convenant aux produits pouvant être fades : certains coquillages et poissons, blancs de volaille, endives, etc.

• La meilleure façon de réussir une vinaigrette est de la préparer à part, au fond du saladier ou dans un bol (et non sur la salade directement). Faire d'abord dissoudre le sel dans le vinaigre (impossible dans l'huile), puis ajouter l'huile et poivrer.

• Si on a eu la main un peu lourde, pas de panique : mettre un gros morceau de mie de pain dans la salade et mélanger jusqu'à ce qu'il ait absorbé toute la vinaigrette. Enlever le pain, puis rectifier l'assaisonnement.

VIN BLANC

A défaut de vin blanc pour ***mouiller*** une cuisson, on peut utiliser 1 cuillerée à soupe de vinaigre de vin délayée dans un verre d'eau avec deux morceaux de sucre.

VIVE

Avant de l'écailler et de la vider, couper les nageoires avec des ciseaux en démarrant par l'opercule et la première nageoire dorsale, qui comportent respectivement une épine et des rayons venimeux.

Le venin de la vive reste actif pendant plusieurs jours après sa mort, et la piqûre de cette épine ou de ces rayons, extrêmement douloureuse, fait souffrir pendant environ 12 heures. Cela a donné naissance à l'ancienne croyance populaire selon laquelle « le mal ne part qu'à la marée suivante ». Mais, à marée basse, au bord de mer, on peut aussi marcher dessus !

VOLAILLE

Il faut parfois décoller la peau d'une volaille avant de la cuire, de façon que l'air puisse s'insérer entre la chair et la peau pour le canard laqué, ou afin de glisser une farce entre la chair et la peau pour un poulet au persil, par exemple.

Dans le premier cas, pratiquer un petit trou dans la peau du dos avec un couteau pointu, y introduire une paille et souffler en la maintenant bien à l'endroit du trou.

Dans le second, pratiquer des trous semblables de chaque côté de la poitrine et sur chaque cuisse, y glisser la farce et l'étaler avec un long bâtonnet.

ZESTE

Voir : ***Agrumes*** (page 7).

DES TOURS DE MAIN POUR CUIRE

Deuxième atout de la bonne cuisine

Quel mode de cuisson choisir ? Cela n'est pas toujours évident. Un légume cuit à l'eau et un légume cuit à l'étuvée seront très différents, de même qu'une volaille pochée et une volaille rôtie. Les uns et les autres ont leurs avantages : tout dépend de ce que l'on désire servir.

Faut-il cuire, au départ, à l'eau froide ou à l'eau chaude ? Faut-il couvrir le récipient ou non ? Faut-il mener le feu vivement ou cuire lentement ? Autant de questions pouvant se poser pour chaque recette, et connaître le pourquoi, c'est avoir la réponse.

La plupart des problèmes peuvent ainsi se résoudre lorsqu'on connaît le « truc ». Écailler ou ne pas écailler un poisson ? Lier une sauce sur le feu ou hors du feu ?

Comment obtenir un rôti juteux, une escalope panée qui « tienne », un braisé onctueux, un canard encore rosé, une crêpe moelleuse, une tarte croustillante, des choux qui ne se dégonflent pas à la sortie du four, un feuilleté bien levé et non déformé ?

Pour faire meilleur, il n'y a que des « trucs ».

ABATTIS

Lorsqu'ils sont utilisés dans la préparation d'un bouillon de volaille, les récupérer lorsqu'on passe le bouillon et les conserver au réfrigérateur. Grillés, on peut les servir avec une salade.

AIL

• Dans un rôti

Lorsque l'ail est piqué dans la viande, il n'est pas toujours agréable de le trouver dans sa tranche de rôti de bœuf ou de gigot, car la plupart du temps il est presque cru. L'idéal est donc de débarrasser les gousses de la pellicule extérieure facilement détachable, en les faisant simplement rouler entre les doigts, et de les mettre dans le plat de cuisson.

Pour servir, présenter les gousses d'ail à part, afin de respecter le goût de chacun, ou bien, si tous les convives en sont amateurs, les écraser à la fourchette et incorporer la pulpe recueillie à la sauce.

• Dans un fond de cuisson

Pour que l'ail des fonds de cuisson ne roussisse pas (cela donne une saveur âcre au plat), introduire les gousses pelées et pilées une fois les autres ingrédients revenus, au moment du mouillement.

AGNEAU DE LAIT

Présent seulement en hiver, en principe de Noël à Pâques, l'agneau de lait est un jeune animal à chair pâle, un peu molle, dont la graisse est à peine formée, mais néanmoins présente lorsqu'il est de qualité. La question de savoir si on l'aime saignant ou à point ne se pose pas : il s'agit d'une viande blanche qui doit toujours être menée « à point », sans poursuivre la cuisson au-delà, afin qu'elle ne devienne pas sèche. D'ailleurs, c'est une viande qui, dans les villes, ne se trouve pas chez le boucher, mais chez le volailler.

ALOSE

Également appelée « poisson de mai » (parce qu'on la trouve principalement ce mois-là), l'alose est un poisson d'une grande finesse, mais qui s'altère très rapidement : il faut le cuisiner dès l'achat.

Dans tous les vieux livres de cuisine, il est conseillé de le farcir d'oseille pour que, à la cuisson, l'acidité de cette herbe fasse fondre les fines arêtes, cette cuisson étant menée assez doucement pour être longue.

Il existe un autre truc plus simple : il suffit de pocher l'alose ou de la mettre au four sans trop pousser la cuisson, de l'ouvrir en deux, puis d'enlever délicatement l'arête centrale, de façon à entraîner toutes les petites arêtes implantées dans la chair. Ensuite, on parfait la cuisson des filets au four ou en sauce, selon la recette choisie.

AMANDES

Pour griller rapidement des amandes mondées ou effilées, utiliser le micro-ondes : les étaler sur une assiette et programmer le four sur 2 à 3 minutes à 100 p. cent de la puissance, en les retournant plusieurs fois pour qu'elle dorent uniformément.

Si les amandes sont destinées à l'apéritif, les poudrer légèrement de sel.

AMOURETTE

Vendue déjà dégorgée et parée, il suffit de la rincer et de la pocher comme la cervelle, dont elle a la consistance et la saveur. La servir également comme celle-ci.

AMUSE-GUEULE

Avec un reste de pâte feuilletée, on peut facilement préparer de délicieux biscuits pour l'apéritif : dorer la feuille de pâte (ou les chutes) au jaune d'œuf, la parsemer d'emmental râpé ou de graines de cumin, que l'on fera adhérer en passant le rouleau à pâtisserie dessus, et la couper avec un couteau en lanières de 1 centimètre de large sur 5 centimètres de long environ.

Passer 15 minutes au four sur la tôle préalablement humidifiée pour obtenir de délicieuses allumettes, qui, une fois refroidies, se conserveront une dizaine de jours dans une boîte en fer hermétiquement fermée.

ANDOUILLETTES

Elles sont parfois vendues dans du saindoux ou enrobées de paraffine. Quel que soit le mode de cuisson choisi, il faudra enlever l'un comme l'autre auparavant : si on grille l'andouillette, le saindoux, en fondant, va fumer et se décomposer, en altérant le goût ; si on la braise, la sauce sera trop grasse. Quant à la paraffine, elle ne se consomme pas.

ANGUILLE

Lorsqu'elle est de petite taille, l'étêter et la vider en laissant la peau, puis la griller.

Si elle est plus grosse, la dépouiller, éliminer l'épaisseur de graisse qui se trouve entre la peau et la chair, et la tronçonner pour la préparer en matelote.

ASPERGES

• Pour que les pointes ne se cassent pas pendant la cuisson, lier les asperges en botte sans serrer et les mettre debout dans le récipient, l'eau n'arrivant que sous les pointes. Il existe des petites marmites à panier spéciales.

• Ne pas jeter les bases coupées des asperges : après les avoir bien épluchées, on pourra faire un potage, une crème ou un velouté.

BAIN DE FRITURE

Utiliser uniquement une huile supportant des températures au-dessus de 200 °C sans se décomposer : les huiles à salade ne conviennent pas.
• Introduire les pièces à frire seulement lorsque le bain est bien chaud, sans en mettre trop à la fois, afin de ne pas le refroidir et de permettre à chaque pièce de bien dorer.
• Si on ne veut pas frire du poisson dans la friteuse électrique, munie d'un thermostat, il existe un moyen simple de juger de la température du bain : y plonger un croûton de pain à demi rassis. S'il dore, elle est idéale ; s'il brunit, l'huile est trop chaude, et s'il tombe au fond, la température n'est pas atteinte.
• Pour frire de la pâte ou un aliment enrobé de pâte, il faut retirer le panier de la friteuse, sinon, en cuisant, la pâte s'attachera aux fils de fer du panier, et les beignets ne pourront plus remonter dans le bain.

BAIN-MARIE

Une bonne cuillerée à soupe de gros sel jetée dans l'eau ***bouillante*** du bain-marie accélère la cuisson du plat contenu dans le bain-marie. Cela a peu d'incidence sur un plat à longue cuisson (crème renversée par exemple), mais est très intéressant pour les cuissons délicates où il est particulièrement important d'aller vite, celle des œufs notamment (œufs cocotte par exemple).

BARBECUE

• Pour arroser une pièce à rôtir, utiliser un pinceau à très long manche et déposer un léger film de jus, sauce, ou matière grasse, sans en faire couler sur la braise, pour éviter qu'elle ne fume et n'altère le goût de la viande.
• Lorsqu'on fait des grillades, ne pas trop faire « charbonner », car les résidus d'aliments calcinés sont des goudrons nocifs pour la santé.

BARBUE

Pour pocher une barbue de grosse taille, la fendre le long de la ligne latérale sur la face sombre, pour pouvoir briser l'arête en un ou deux endroits et éviter ainsi qu'elle ne se déforme à la cuisson. Le poissonnier peut se charger de cette opération.

BASILIC

Il ne faut pas l'introduire dans une préparation à cuire pour la parfumer : la chaleur lui fait perdre toute son essence aromatique.

BÉCHAMEL

La béchamel, plus qu'une sauce, est surtout une base destinée à épaissir certaines préparations ou préparer un délicieux gratin. Pour la réussir, rien de plus simple : prendre le même poids pour chaque ingrédient de base (en grammes pour le beurre et la farine, en centilitres pour le liquide) : 20 grammes de farine, 20 grammes de beurre et 20 centilitres de lait, par exemple.

Faire cuire la béchamel à feu doux pendant au moins 10 minutes, afin qu'elle n'ait plus le goût de farine, sans cesser de remuer avec une spatule, pour qu'elle n'attache pas.

BETTES

Le vert est utilisé dans de nombreuses recettes (farces ou légumes), mais que faire des côtes ? Simplement, après cuisson à l'eau, une garniture de légumes au jus pour les viandes blanches ou la volaille, ou encore un délicieux gratin.

BEURRE

• De crustacés

Piler les carapaces, les mettre dans une casserole avec le même poids de beurre, au bain-marie, à feu doux, sans cesser de remuer. Passer au chinois doublé d'une mousseline, en foulant au pilon, dans de l'eau glacée. Récupérer le beurre figé et l'envelopper d'une feuille d'aluminium ménager en le façonnant en boudin.

A utiliser pour parfumer soupes, fonds de cuisson ou sauces.

• Fondu

Pour que la sauce tienne jusqu'au moment de servir, le beurre doit être bien émulsionné. Le mieux est de mettre celui-ci, encore bien ferme et coupé en gros morceaux, dans une casserole avec un peu d'eau (environ le quart, voire le tiers) et du jus de citron. Mettre à feu vif jusqu'à bons bouillons.

Assaisonner une fois l'émulsion obtenue.

• Noir

Beurre noir doit impérativement se traduire par beurre noisette, car le vrai beurre noir est un beurre décomposé, nocif, que l'on ne doit pas consommer.

Faire fondre le beurre à feu doux, en le surveillant et en le retirant du feu dès qu'il commence à changer de couleur : le jaune vire au blond, un beau blond de noisette dorée.

Juste avant qu'il atteigne la teinte désirée, ajouter un peu de persil haché, qui va frire, quelques câpres bien égouttées et un filet de jus de citron.

BIGORNEAU

Le noir est le meilleur. Le cuire en court-bouillon au vin blanc, avec un bouquet, du poivre concassé et un piment-oiseau, pour relever sa saveur, pendant 5 à 7 minutes maximum.

BLANC

Pour éviter que certaines viandes et quelques légumes tels que langue, tête de veau, fonds d'artichauts, cardons, scorsonères, etc., ne noircissent à l'air, donc pour qu'ils conservent leur couleur naturelle, plus appétissante, il faut les cuire dans un « blanc » : dans un faitout, à feu doux, délayer 50 grammes de farine avec 10 centilitres d'eau, sans cesser de remuer jusqu'à épaississement ; continuer à remuer en ajoutant l'eau nécessaire à la cuisson, les produits devant bien baigner ; ajouter le jus de un ou deux citrons, selon la quantité de court-bouillon.

Autrefois, on conseillait d'ajouter également un peu d'huile pour former un film imperméable à l'air en surface, mais cette pratique est aujourd'hui quasi abandonnée.

BŒUF

• A rôtir

• Le rôti bardé ne doit pas être ficelé trop serré, pour éviter qu'il ne perde une partie de son sang et de ses sucs. Si le ficelage fait « côteler » profondément la viande, il faut faire sauter une ficelle sur deux avant de la mettre au four.

• Si la pièce de bœuf n'est pas épaisse et si elle doit être servie bleue, la cuisson s'effectuera à la même température, puisqu'elle sera très rapide.

En revanche, si la pièce est épaisse ou si la cuisson doit être menée à point, baisser la température du four de 240 à 210 °C au bout de 10 minutes.

• BOUILLI

Les restes de bœuf bouilli, hachés, en tranches ou en cubes, permettent de préparer de délicieuses recettes, la plus réputée étant le hachis Parmentier.

• Couper la viande en tranches fines : les plus belles seront présentées froides avec de la salade ou divers condiments, les moins belles en ***miroton*** (à la poêle, dans une fondue d'oignons, après déglaçage au vinaigre).

• Les restes de viande que l'on ne peut couper en tranches le seront en petits cubes, pour confectionner une ***salade bouchère***, avec une vinaigrette bien persillée relevée d'une pointe d'échalote, voire quelques quartiers d'œufs durs pour lui donner plus de volume.

• Pour le ***hachis Parmentier***, penser à vérifier l'assaisonnement après hachage et, pour le plaisir de l'œil, ne pas mêler le hachis à la purée : le disposer en couche, entre deux couches de purée.

• Pour des ***tomates farcies***, on préparera la meilleure des farces en hachant la viande, en ajoutant un tiers de chair à saucisse, une bonne quantité de persil haché et un œuf avant d'assaisonner.

• Pour préparer des ***boulettes*** à frire, que l'on servira ***chaudes*** ou ***froides***, utiliser les derniers restes de viande, hachés, mélangés avec un tiers de chair à saucisse, de l'oignon et du persil hachés et des œufs. Assaisonner en incorporant également une pointe de quatre-épices.

• En daube

La cuisson d'une daube est longue. Pourquoi ne pas en confectionner pour deux repas en une seule fois, d'autant que l'on peut varier sa présentation ? Au premier service, on la servira chaude ; au second repas, en gelée : elle prendra toute seule en refroidissant si l'on a mis des couennes dans la cuisson.

BOUDIN

Quand on le fait ***griller*** en escargot, il faut le retourner pendant la cuisson. Pour éviter de le briser, prendre deux bâtonnets en bois longs et fins, mais assez rigides, et en enfoncer un à l'horizontale, en traversant toutes les spirales, jusqu'à ce qu'il ressorte de l'autre côté. Procéder de la même façon avec le second bâtonnet, en formant une croix : il suffira ensuite d'utiliser ces bâtonnets comme poignées pour retourner le boudin.

A défaut de bâtonnets assez longs, prendre de fines branches de noisetier dont on aura ôté l'écorce au préalable.

BOUILLON

• Pour ***améliorer des fonds de cuisson***, on conseille souvent d'ajouter du bouillon soigneusement ***dégraissé***. Une fois préparé, le laisser refroidir complètement, puis le mettre au réfrigérateur pendant au moins 6 heures : il ne reste plus, alors, qu'à retirer le gras figé en surface avec une écumoire.

• Pour obtenir un bouillon bien ***coloré***, qui servira à confectionner une gelée, on peut tout simplement y verser un peu de caramel. Mais cela ne vaut pas le vieux truc de grand-mère : prendre un oignon, le mettre à la flamme jusqu'à ce qu'il commence à se caraméliser en s'affaissant légèrement et le mettre dans le bouillon pendant sa cuisson.

• Avant de ***réchauffer*** du bouillon, y jeter une petite pincée de sucre semoule et la faire dissoudre : sa saveur en sera exaltée.

• Du pot-au-feu

• Sauf si des amateurs le désirent, en principe on ne le sert pas le jour même. Passé au chinois, refroidi, conservé au réfrigérateur, puis bien dégraissé, il sera meilleur froid, nature ou avec un peu de pluches de cerfeuil, ou bien réchauffé, nature ou avec des petites pâtes à potage.

• Il peut également servir de base pour préparer une soupe à l'oignon, à laquelle il donnera beaucoup de saveur.

BOURGUIGNON

Avec un reste de bourguignon, on peut préparer une délicieuse sauce, qui accompagnera des pâtes ou du riz.

Mettre le bourguignon sur feu doux, ajouter la moitié de son poids de jambon coupé en petits dés, la même quantité de chair à saucisse, un peu d'oignons et de carottes taillés en petits dés, puis mouiller avec du coulis de tomate. Couvrir et laisser mijoter pendant 20 minutes, puis enlever le couvercle et laisser épaissir en remuant. Après refroidissement, partager en portions et congeler.

BRAISER

L'ustensile utilisé autrefois s'appelait « braisière », tout simplement parce que, pour réaliser la cuisson, on l'enfouissait dans la braise de la cheminée.

Aujourd'hui, on emploie une cocotte à fond épais, munie d'un couvercle creux. Celui-ci est destiné à recevoir de l'eau froide pendant la cuisson : ainsi, les vapeurs qui se dégagent refroidissent et se condensent, lorsqu'elles touchent le couvercle et, en retombant sur la préparation, elles l'arrosent en permanence. C'est là un des secrets de la réussite assurée d'un braisage.

Il est très important également que la taille du récipient soit adaptée au contenu, car la cuisson étant longue, si la cocotte est trop grande, l'évaporation sera plus importante, malgré l'eau froide, au détriment de la consistance moelleuse de la préparation.

Enfin, il faut mettre très peu de liquide, car braiser n'est pas bouillir : le mouillement est seulement destiné à empêcher que la préparation attache et à constituer la sauce.

Quant à la source de chaleur, la cuisinière n'est pas l'idéal : le réglage de l'intensité est délicat, il faut souvent des plaques isolantes intermédiaires, et seul le dessous du récipient chauffe. Il vaut bien mieux lui préférer le four. A thermostat bas : 4 à 5 (de 120 à 150 °C) selon la recette, la cocotte sera enrobée de chaleur douce dessous, dessus et sur les côtés, et la cuisson pourra s'effectuer aussi longuement que voulu. Ne pas oublier, toutefois, de remplir le couvercle d'eau froide de temps en temps.

BROCHETTES

Pour protéger les aliments très fragiles, qu'il s'agisse de chair de coquillages (huîtres, moules) ou d'abats (ris), monter les brochettes, puis les paner, éventuellement, ou bien enrouler autour de la brochette une tranche de lard extrêmement fine.

BUCCIN

Également appelé « escargot de mer » ou « bulot », sa cuisson est délicate : elle s'effectue à l'eau salée, à pleine ébullition, pendant 15 minutes environ. En goûter un : théoriquement, il doit être tendre. Une cuisson prolongée rend la chair coriace.

CAKE

Sa cuisson doit s'effectuer à 210 °C, sans préchauffer le four.

Pour éviter que les fruits confits et les raisins secs ne tombent au fond du moule, les rouler dans de la farine pour bien les sécher et leur permettre ainsi d'adhérer à la pâte, à laquelle il faut les incorporer seulement au moment d'enfourner. On peut également les rouler dans du sucre glace.

CALMARS ET SEICHES

Si on les farcit, veiller à ne pas trop remplir les manteaux si la farce comporte de la mie de pain, car elle va gonfler à la cuisson. Ils risqueraient donc d'éclater.

Si la farce comporte du riz, choisir du riz à grains ronds et le cuire au préalable.

CAMEMBERT

Un mauvais camembert, trop plâtreux pour être consommé tel quel, peut servir à préparer de délicieuses boulettes : retirer la croûte, couper le fromage en petits dés, incorporer ceux-ci à 50 centilitres de béchamel épaisse avec deux œufs battus en omelette ; laisser refroidir, puis prélever des cuillerées du mélange pour former des boulettes, que l'on passera dans de l'œuf battu et de la chapelure avant de les faire frire. A servir à l'apéritif si les boulettes ne sont pas plus grosses que des noisettes, ou pour accompagner une salade verte.

CARAMEL

Pour empêcher le caramel de cristalliser, lui incorporer 1 cuillerée à café de jus de citron ou de vinaigre dès qu'il a atteint la couleur souhaitée.

CÉLERI

Si, après utilisation pour un bouillon ou un plat, il reste des branches de céleri crues, les émincer finement en éliminant tous les fils et les mettre en vinaigrette : c'est excellent.

CÉLERI-RAVE

Pour donner un peu de consistance à une purée, la battre en incorporant en pluie un peu de flocons de pommes de terre.

Si on a eu la main un peu lourde, ajouter de la crème fraîche portée à ébullition, cuillerée par cuillerée, jusqu'à obtention de la consistance désirée.

CERVELLE

Une fois bien limonées (débarrassées sous l'eau courante des vaisseaux, caillots et peau), les plonger dans de l'eau froide légèrement citronnée (jamais dans de l'eau chaude). Mettre à feu doux pour amener lentement à frémissement. Si elle est à servir chaude, égoutter la cervelle ; si elle est à servir en vinaigrette, ***la laisser tiédir dans l'eau mais pas refroidir***, l'égoutter et la mettre en sauce aussitôt.

Pour la cuisson, éviter le bouquet souvent préconisé : il masque la saveur délicate de l'abat.

CHARCUTERIES EN BOYAU

Il est nécessaire de les piquer si elles sont grasses ou assez aqueuses, et aussi pour que l'enveloppe n'éclate pas. Pratiquer avec une épingle, en perçant toutes les faces de petits trous espacés, et non avec une fourchette, comme on a l'habitude de le faire : celle-ci fait des trous assez gros et trop rapprochés, qui risquent de se transformer en fente ; le résultat obtenu serait alors le contraire de ce que l'on recherche.

CHOU

Pour cuire du chou sans qu'il communique son odeur à toute la maison, poser un linge épais imbibé de vinaigre d'alcool sur le couvercle du récipient.

CHOUCROUTE CRUE

Un reste de choucroute crue, bien lavée et essorée, permettra de préparer une délicieuse salade composée, avec du cervelas et du gruyère, auxquels on ajoutera de la pomme et des noisettes.

CHOU-FLEUR

Le chou-fleur cuit en bouquets est parfois peu présentable. Pour une présentation spectaculaire, le cuire à l'eau entier (avec un croûton de pain rassis pour supprimer toute amertume), après avoir ôté les feuilles et le trognon, puis l'égoutter délicatement, le retourner sur le plat de service et l'arroser avec la sauce qui lui est destinée. A table, il suffit de le couper en parts, comme un gâteau.

CHOU ROUGE

Pour que le chou rouge en salade ne vire plus au lie-de-vin lorsqu'on l'assaisonne, l'arroser, une fois râpé, de 1 cuillerée à soupe de vinaigre bien chaud et mélanger longuement avant de verser la sauce.

CIVET

Pour en augmenter la saveur, lorsqu'on opère la liaison finale avec le sang, ou avec le sang et le foie, ajouter 1 ou 2 cuillerées (selon la proportion) du vin de la cuisson, nature.

D'ailleurs, cela se fait naturellement lorsqu'on garde le foie ou le sang dans un bol avec un peu de ce vin.

COCOTTE EN TERRE CUITE

Pour une meilleure utilisation, et pour éviter qu'elle ne se fende, il faut la faire tremper dans de l'eau pendant 15 à 20 minutes avant chaque utilisation.

Par ailleurs, une cocotte en terre cuite (genre Römertopf) s'enfourne toujours à froid. Le résultat obtenu compense largement le temps de cuisson légèrement plus long que dans une autre cocotte.

CŒUR DE BŒUF

S'il est découpé en tranches destinées à être poêlées, il faut en ôter la peau pour éviter qu'elles ne se recroquevillent en cuisant.

COINGS

Après la préparation de la gelée, ne pas jeter le résidu des fruits : mixés et recuits avec du sucre, ils donnent une excellente pâte de coings.

CONFITURES

• Attention si on utilise du sucre cristallisé non raffiné : il peut contenir quelques impuretés susceptibles de réserver des mauvaises surprises lors de la confection d'un sirop, comme le faire prendre en masse, ce qui est quasi irréparable.

• Le secret d'une confiture réussie est d'obtenir à la fois une parfaite cuisson du sucre et une parfaite cuisson du fruit, et cela, pour la garantie du parfum, dans un temps aussi court que possible.

Les gros fruits à pulpe épaisse (abricots) doivent donc être partagés en deux, voire en morceaux, pour cuire plus vite, la cuisson devant être menée lentement, pour que le sucre ne soit pas brûlé lorsque le fruit est cuit.

La cuisson des petits fruits tendres (groseilles, fraises), au contraire, doit être menée à forte ébullition, pour que le sucre cuise aussi vite qu'eux, l'opération s'arrêtant alors qu'ils ont encore du parfum.

Pour empêcher les fruits de remonter à la surface des pots (les fraises par exemple), laisser la confiture refroidir dans la bassine avant de la mettre en pots.

• Couleur

Du jus de citron ajouté en fin de cuisson préserve la couleur des fruits, notamment celle des fruits rouges.

• Cristallisation

Du jus de citron ajouté en début de cuisson empêche certaines confitures de cristalliser (de melon et de pastèque en particulier).

• Préparation

Pour obtenir une confiture encore plus parfumée, ne pas mettre les fruits et le sucre directement dans la bassine à confitures : il faut dans ce cas ajouter un peu d'eau pour éviter la caramélisation lorsque les fruits ne sont pas assez juteux, et pour qu'elle s'évapore, la cuisson devra être plus longue.

On préparera donc sucre et fruits quelques heures à l'avance dans une terrine, en couches alternées, en attendant que le sucre soit fondu avant de verser le tout dans la bassine. La cuisson s'effectue ainsi sans eau, et le parfum de la confiture sera à son maximum.

• Thermomètre à sucre

Cet ustensile peu onéreux, que l'on trouve dans tous les magasins spécialisés dans les fournitures pour cuisiniers et pâtissiers, est très pratique pour mener la cuisson à bien. Cuire d'abord le sucre à la nappe (100 °C au thermomètre), ajouter les fruits et laisser cuire la confiture jusqu'à ce que le thermomètre indique à nouveau 100 à 101 °C.

• Vérification de la cuisson

A défaut de thermomètre à sucre, il existe deux autres façons de vérifier la cuisson :
- Lorsqu'on démarre la confection de la confiture, mettre une soucoupe dans la partie la plus froide du réfrigérateur ou dans le conservateur à — 18 °C. Vers la fin de la cuisson, tester la confiture : une goutte déposée sur l'assiette froide doit figer immédiatement sans s'étaler.
- Ou bien, préparer un verre d'eau avec des glaçons. Vers la fin de la cuisson, laisser tomber une goutte de confiture dans le verre : la confiture est prête lorsque la goutte tombe au fond du verre sans se délayer.

CONFITURES ET GELÉES

Pour bien les réussir, certains utilisent du sucre gélifiant (sucre semoule additionné de pectine de fruits et d'acide citrique), qui apporte à la cuisson des fruits ce qui peut manquer : le gélifiant et l'acidité. Confitures et gelées prennent ainsi plus facilement et cuisent plus vite (environ un tiers du temps de cuisson en moins).

Ceux qui aiment les confitures très épaisses, qui se conservent longtemps, sont, en revanche, déçus : le sucre gélifiant donne des confitures et gelées moins consistantes, que l'on ne peut pas entreposer aussi longtemps que celles de nos grand-mères.

*Voir aussi : **Confitures*** (page 82) et ***Gelée*** (page 94).

CONSERVES AU NATUREL

Elles ne se réchauffent pas dans leur jus de conversation. Égoutter le contenu de la boîte, rincer à l'eau chaude et réchauffer, au choix, à la vapeur, dans de l'eau à feu doux, dans un peu de matière grasse ou dans une sauce. La saveur y gagnera, les additifs de conservation étant ainsi éliminés.

COQUILLAGES

Pour les faire griller, ne pas les ouvrir. Les poser sur le gril ou sur la braise du côté de leur valve creuse. Dès qu'ils s'ouvrent, ils sont prêts à servir.

COUENNE

Pour les plats mijotés qui demandent une cuisson assez longue, on conseille souvent de mettre une couenne au fond de la cocotte, afin d'éviter qu'ils n'attachent. Bien veiller, toutefois, à placer le côté gras contre le récipient, sinon c'est l'effet inverse qui risque de se produire.

COURGETTES-FLEURS FARCIES

Pour obtenir le maximum de saveur, les cuire au micro-ondes pendant 4 minutes à 70 p. cent de la puissance.

COURT-BOUILLON

Il sert en général à pocher un aliment, mais il peut également le parfumer. Dans ce cas, surtout si le pochage est de courte durée, faire cuire le court-bouillon au préalable avec tous ses aromates pendant au moins 20 minutes.

COUSCOUS

L'utilisation de la semoule précuite évite le long travail de la semoule : un avantage d'autant plus appréciable qu'on n'a pas toujours le tour de main requis pour bien la rouler. La préparation du couscous ne change pas pour autant : suivre la recette à partir du moment où la semoule est déjà roulée, en respectant tous les stades de la cuisson : le résultat obtenu sera bien meilleur que si on applique une formule rapide.

CRÈME ANGLAISE

Pour vérifier sa cuisson, en napper une spatule de temps en temps et passer le doigt dessus : la crème est cuite lorsque la trace reste ; tant que celle-ci s'efface, la cuisson doit être poursuivie.

• A la menthe

Pour accompagner un gâteau, une charlotte ou une mousse au chocolat, rien de plus insolite qu'une crème anglaise à la menthe : faire bouillir le lait avec une poignée de feuilles de menthe fraîche, laisser infuser le temps qu'il refroidisse, filtrer, puis préparer la crème anglaise normalement.

CRÈME FRAÎCHE

• Paradoxalement, il vaut mieux choisir une crème épaisse pour une sauce liquide, et une crème liquide pour une sauce épaisse ou une préparation foisonnée (chantilly, crème fouettée). D'une manière générale, la crème liquide supporte mieux la cuisson, car elle n'a pas été enrichie en ferments.

• Pour la ***faire réduire***, utiliser le micro-ondes et choisir de la crème UHT : épaisse, elle se liquéfie ; liquide, elle épaissit. Opérer dans un bol, sans couvrir.

CRÊPES

Pour gagner du temps lorsqu'on fait de petites crêpes, utiliser deux petites poêles (poêles à blini), de façon à mener les deux cuissons simultanément.

• Pâte

Ajouter 1 cuillerée à soupe d'huile ou de beurre fondu : la saveur des crêpes sera plus fine, et la pâte exigera moins de matière grasse pour la cuisson.

• Poêle

Pour la cuisson des crêpes, toutes les poêles conviennent, mais les résultats diffèrent en fonction du matériau. En acier inoxydable : les crêpes sont saisies, mais restent molles ; à revêtement anti-adhésif : les crêpes sont croustillantes mais sèches ; à fond émaillé : les crêpes sont lourdes, car il faut beaucoup de matière grasse pour qu'elles n'attachent pas.

Les crêpières sans bord, en fonte, spécialement conçues à cet effet, sont de loin ce qu'il y a de mieux.

CREVETTES

Parfois, on les trouve vivantes sur le marché. Il existe deux façons de les cuire :

• Les plonger en ***eau de sel*** (voir page 86) avec des aromates, à pleine ébullition, puis les égoutter dès que l'ébullition reprend :

• Les ***griller*** à la poêle sur une

couche de gros sel, à feu vif ; la réussite est plus aléatoire, certaines risquant de se dessécher.

CRUSTACÉS

• Griller

Les petites pièces (grosses crevettes, langoustines) se posent telles sur le gril, en carapace.

Les grosses pièces (homard notamment) seront d'abord pochées jusqu'à mi-cuisson. Ensuite, on les ouvre en deux dans le sens de la longueur et on les pose sur la carapace.

• Pocher

• ***Eau de sel :*** il est inutile de préparer un court-bouillon. Porter simplement à ébullition de l'eau additionnée de sel, à raison de 35 grammes par litre. Pour réussir le pochage, cette « eau de sel », comme l'appellent les professionnels, doit être suffisante pour que les crustacés y baignent à l'aise. On les y plongera vivants, de préférence la tête la première, afin que la mort soit instantanée et qu'ils ne se débattent pas.

• ***Endormir :*** certains chefs, soucieux de ne pas traumatiser les crustacés, préfèrent les « endormir » : ils les laissent en attente dans de l'eau douce jusqu'à ce qu'ils ralentissent leurs réactions. D'autres, en revanche, contestent ce procédé, affirmant qu'ils sont alors près de la mort. Néanmoins, traité ainsi, ils ne se vident pas pendant la cuisson.

• ***Gros spécimens :*** s'ils ont perdu une patte, boucher le trou laissé à son emplacement avec de la mie de pain, avant de les plonger dans l'eau de sel, pour éviter qu'ils ne se vident.

Les pièces de 500 grammes cuiront de 8 à 10 minutes et celles de 1 kilo de 10 à 13 minutes.

Il est important que l'eau de sel soit en ébullition assez vive, afin de ne pas être arrêtée lorsqu'on y plonge le ou les crustacés.

• ***Sur planchette :*** les crustacés à queue longue (homard, langouste) que l'on veut présenter entiers (Bellevue par exemple) doivent être pochés allongés (vivants). Or, dès qu'on les plonge dans l'eau salée en pleine ébullition, ils rabattent la queue.

La parade, délicate à concrétiser, consiste à poser la crustacé sur une petite planchette étroite, en appuyant dessus avec force pour qu'il reste allongé, et à le ficeler serré, afin qu'il ne puisse plus bouger. Plonger la planchette dans l'eau de sel en ébullition, le crustacé tête la première.

CUIRE A BLANC

Cette opération consiste à cuire une tourtière foncée de pâte sans garniture. Pour que le fond ne gonfle pas à la cuisson, le recouvrir d'une garniture « artificielle » : noyaux ou haricots de grand-mère, déposés à même la pâte, ou, mieux, sur une feuille de papier sulfurisé. Cuire pendant 12 à 15 minutes au four préchauffé à 210 °C.

On trouve aussi chez les fournisseurs pour pâtisserie des noyaux artificiels en aluminium.

Pour éviter que le bord ne s'affaisse sur lui-même, appliquer une bande de papier d'aluminium pliée en deux ou en trois sur le pourtour de la tarte, puis la retirer au bout de 10 minutes, pour que la pâte dore.

CUISSES DE GRENOUILLE

Avant de les cuire, défaire les brochettes, couper éventuellement les doigts, les baigner pendant 1 à 2 heures dans du lait au frais, puis les éponger et les frotter de farine.

CUISSON A LA BROCHE

• Pour éviter que les ***grosses pièces ne perdent leurs sucs*** (ou sang), il faut commencer par les « croûter » en surface : positionner d'abord la broche près de la braise, puis, dès que la cuisson de surface est obtenue, l'éloigner pour que la cuisson à cœur puisse s'effectuer au degré voulu avant que la surface carbonise.

• ***Saisir en fin de cuisson*** est une opération peu courante, mais nécessaire pour des pièces telles que le porcelet et certains gros poissons rôtis avec leurs écailles. Une fois la cuisson achevée, redescendre la broche près de la braise vive pour faire croustiller la peau ou les écailles.

CUISSON A LA POÊLE

Pour éviter les projections de beurre lorsqu'on fait cuire un steak ou une côtelette, mettre un peu de sel fin dans la poêle au préalable.

CUISSON A LA VAPEUR

• Parmi les multiples avantages de ce mode de cuisson, un ***gain de temps*** considérable : des betteraves, par exemple, cuisent en 1 heure au lieu de 3 heures au four, une crème caramel en 20 minutes au lieu de 40, etc.

• Cette méthode est d'autant plus rapide qu'elle permet de ***cuire plusieurs aliments à la fois*** (du hors-d'œuvre au dessert) : on place le plus fragile dans le panier du haut (entremets en ramequins par exemple) et celui qui « dégorge » le plus de substances indésirées (eau de végétation de certains légumes, jus de poisson, graisses de viandes ou de volaille, toxines d'abats) dans le dernier, le plus près de l'eau.

• Lorsqu'on place des paniers contenant les aliments à cuire, l'***eau doit déjà bouillir***, donc produire de la vapeur, afin que ceux-ci ne se ramollissent pas.

• L'eau ne doit pas toucher le fond du panier percé : il faut ***ménager un espace entre la surface de l'eau et les aliments***, afin que la vapeur puisse se dégager en quantité suffisante.

• La ***quantité d'eau sera proportionnelle au temps de cuisson***, et comprise entre 1 litre et 3 litres. Dans le cas d'une cuisson très longue (plusieurs étages par exemple), on ajoutera de l'eau en ébullition dans le compartiment inférieur en cours de cuisson, que l'on aura fait bouillir à part, afin que la vapeur puisse se dégager de manière continue : de l'eau simplement brûlante provoquerait un arrêt de vapeur, et donc une coupure dans la cuisson.

• Les ***aliments fragiles*** ou ceux qui nécessitent l'ajout d'un ingrédient fluide (beurre fondu, crème, etc.) risquant de couler à travers les trous du panier doivent être ***protégés par une papillote***, d'origine végétale (feuille de chou, de laitue, de bette, de vigne, etc.), animale (crépine) ou artificielle (papier sulfurisé ou encore feuille d'aluminium).

• La vapeur entraîne une partie des arômes volatils (herbes aromatiques), mais pas l'assaisonnement : s'il est ***inutile de saler l'eau***, on parsèmera, en revanche, un peu de gros sel sur les pièces à cuire.

• Les ***aromates destinés à parfumer*** ne doivent pas être mis dans l'eau, mais au contact de l'aliment lui-même : en effet, c'est la vapeur qui parfume, en traversant l'aromate, et non l'eau. On peut toutefois employer avantageusement un autre liquide que l'eau (vin, cidre, lait, vinaigre) pour dégager de la vapeur.

• Il faut ***recouvrir d'une feuille d'aluminium*** certaines préparations (terrines, flans, crèmes, etc.) à consistance liquide, mises à cuire dans des moules, afin que l'eau de condensation se formant sur le couvercle ne les altère pas en retombant dedans.

CUISSON AU FOUR

• Les ***temps de cuisson*** sont calculés à partir d'un four chaud. Il faut donc le préchauffer en l'allumant au moins 20 minutes avant d'enfourner un plat.

• Pour connaître immédiatement la ***température*** d'un four sans thermostat, y introduire une feuille de papier blanc : s'il reste blanc, le four est tiède ; s'il jaunit, le four est chaud, et s'il brunit, il est très chaud.

• Pour éviter qu'un gâteau ou un rôti ne se dessèche, poser à côté du plat un petit ramequin rempli d'eau.

CUISSON AU FOUR MICRO-ONDES

• ***Ne jamais faire fonctionner un four micro-ondes à***

vide, sous peine de l'endommager. Pendant la période de rodage où l'on apprend à s'en servir, les manipulations sont parfois hasardeuses : il vaut donc mieux laisser un verre d'eau en permanence à l'intérieur.

• ***Il ne se préchauffe pas***, puisqu'il ne faut pas le faire fonctionner à vide. Seul le plat brunisseur peut-être préchauffé, car il est prévu pour absorber les micro-ondes, mais pas plus de 8 minutes : un échauffement prolongé pourrait faire éclater le plateau tournant en verre.

• ***Ne pas faire cuire les aliments directement sur le plateau*** tournant, car il risque d'éclater : les isoler avec un récipient (plat, assiette) ou une simple feuille de papier.

• ***Sauf indication contraire du constructeur, ne pas utiliser de métal*** dans un micro-ondes : ustensiles en aluminium, en inox, en cuivre, en étain, vaisselle décorée avec une peinture à base de plomb, un filet d'or, de platine, d'argent, aluminium ménager (feuille ou barquette), matières plastiques contenant des particules métalliques (mélamine) et papiers recyclés sont donc à proscrire.

• ***Attention aux brûlures :*** les micro-ondes ne chauffent pas, mais les aliments dont elles font tourner les molécules, en s'échauffant, transmettent leur chaleur au récipient qui les contient par conduction. Prendre une manique pour le sortir.

• ***Ce qui est hermétiquement clos éclate :*** ne jamais y mettre de bouteilles fermées, de plats ou de boîtes sous vide, ils pourraient endommager le four en éclatant.

• ***Il faut piquer certains aliments*** pour éviter qu'ils n'éclatent : l'œuf dans sa coquille, le jaune de l'œuf au plat, la coquille de l'escargot, l'aubergine, la pomme, la tomate, la saucisse, la pomme de terre, la pêche, et tous ceux dont la peau est coriace.

D'autres sont trop durs pour être piqués : les fruits à coque comme la noisette sont à concasser. Les fruits contenant des noyaux doivent être dénoyautés, sinon ceux-ci éclateraient à l'intérieur des fruits.

• ***Percer les emballages plastiques de petits trous,*** afin que la pression de la vapeur interne ne les fasse pas éclater. Cela concerne toutes les denrées emballées sous vide et le film étirable dont on couvre les récipients.

• ***Le micro-ondes permet l'utilisation de la vaisselle en carton.*** Veiller toutefois à ce que celle-ci ne soit pas recouverte d'un film de paraffine, qui fondrait sous l'action des micro-ondes.

• ***Les temps de cuisson sont très courts :*** il vaut donc mieux les calculer légèrement plus courts, car quelques secondes de trop peuvent compromettre la réussite d'un plat. De plus, la cuisson sera plus homogène si on la fractionne pour la contrôler.

• ***Certains aliments cuisent plus vite que d'autres :*** ceux qui contiennent beaucoup d'eau, ceux qui sont gras et ceux qui sont sucrés.
• ***Attention : la cuisson se prolonge après l'arrêt du four*** par conduction de la chaleur dans la masse. Il faut y penser pour les produits très délicats comme le foie gras.
• ***Alléger l'assaisonnement*** lorsqu'on cuit au micro-ondes, car la déshydratation entraîne une concentration.
• ***Remuer les plats en sauce à mi-cuisson*** pour avoir un meilleur résultat, les différents ingrédients ne réagissant pas de la même façon aux micro-ondes.
• ***Jouer avec la déshydratation :*** emballer systématiquement les aliments qui doivent conserver leur moelleux ou leur humidité, sinon ils se déshydrateront, même en un temps très court. En revanche, pour en éliminer l'eau (tomate, par exemple), ou réduire une sauce, il vaut mieux ne pas couvrir.
• ***Pour cuire des aliments de forme allongée,*** les disposer comme des rayons de soleil, et non côte à côte, le côté le plus mince ou le plus fragile vers le centre, en laissant celui-ci libre.
• ***Pour cuire plus rapidement les entremets***, utiliser un moule à savarin (en forme de couronne) : la cuisson sera plus rapide et plus homogène.
• ***Utiliser une éponge naturelle et de l'eau pour nettoyer*** le four : pas d'éponge abrasive, de tampon récurant, de produit décapant, de bombe aérosol, de poudre abrasive, de produit caustique, ni aucun autre produit d'entretien.
• ***Pour désodoriser et décoller les projections grasses***, placer un verre d'eau dans le four et le programmer de 5 à 10 minutes à 100 p. cent de la puissance : elle absorbera toutes les mauvaises odeurs et la vapeur entraînera les dépôts graisseux. Essuyer ensuite avec une éponge ou un torchon. Éventuellement, ajouter le jus d'un citron et / ou deux ou trois clous de girofle.

DAUBE

Voir : ***Bœuf en daube*** (page 78).

DORER UN FEUILLETAGE

Veiller à ce que le pinceau ne touche pas le bord tranché et à ce que l'œuf n'y coule pas : à la cuisson, en se solidifiant, il souderait les feuillets de la pâte ensemble, et le feuilletage serait moins, ou irrégulièrement, « gonflé ».

ÉBULLITION

Pour accélérer la prise d'ébullition de l'eau (pochage, cuisson des pâtes et du riz, etc.), lui ajouter du gros sel au départ.

ÉCREVISSES

Voir : ***Langoustines*** (page 97).

ENDIVES

Pour leur donner une belle couleur claire et supprimer toute leur amertume, les faire étuver avec le jus d'un citron et deux morceaux de sucre.

ÉPICES

La plupart des épices et mélanges d'épices ne doivent pas être rissolés, sous peine de perdre leurs arômes et de risquer de se désagréger en libérant des saveurs désagréables, par exemple cannelle, cinq-épices, colombo, coriandre, cumin, curcuma, curry, gingembre, girofle, macis, muscade, origan, paprika, piment-pimenton, poivre, ras-al-hanout, romarin, safran, sauge et tabil. Préparer d'abord le fond de cuisson auquel ces épices sont destinées, puis ajouter celles-ci juste avant de « mouiller » le fond ou d'introduire les aliments à cuire.

ÉPINARDS ET OSEILLE

Ne pas utiliser un récipient en aluminium pour cuire ces légumes : il serait attaqué par leur acidité, et bannir la cuisson à l'eau car ils sont très riches en sels minéraux utiles, et ce serait en perdre le bénéfice. Bien les trier, ôter ou non les queues, selon la recette, les laver, les mettre dans un poêlon avec un peu de matière grasse, feuilles encore mouillées, couvrir et laisser fondre à feu doux sans laisser attacher.

ESCALOPES PANÉES

Des escalopes bien dorées et panées sans matière grasse ? C'est possible, grâce au micro-ondes. Les paner selon la méthode habituelle. Faire chauffer le plat brunisseur pendant 8 minutes à 100 p. cent de la puissance, puis y faire cuire les escalopes le temps nécessaire : pas une goutte d'huile n'a été utilisée, pourtant la panure adhère parfaitement à la viande.

On peut également préparer des filets de poisson de la même façon.

ESCARGOTS

Si l'on ramasse les escargots à la période où ils sont « coureurs », il faut les laisser jeûner une dizaine de jours avant de les dégorger au gros sel et au vinaigre. S'ils sont « voilés », il suffit de les dégorger.

Ensuite, on les poche : à cuisson complète si on veut les préparer à la bourguignonne (avec beurre d'escargots) ; à mi-cuisson si on désire les mijoter selon une des nombreuses recettes gourmandes dont le Languedoc-Roussillon a le secret.

ESPADON

De temps en temps, on en trouve chez le poissonnier. Ce poisson a une chair à la fois ferme et légèrement grasse, et il se cuisine comme le thon.

FEUILLES DE VIGNE

C'est pour leur imperméabilité et non pour apporter une saveur particulière que les feuilles de vigne sont conseillées dans certaines recettes (dolmas à la turque, petits gibiers à rôtir) : cela empêche la perte des sucs, des graisses et des arômes.

FLAMBER

Verser l'eau-de-vie sur la préparation, puis craquer une allumette a peu de chances de réussir : les quelques secondes prises à l'enflammer ont permis à l'eau-de-vie de s'infiltrer dans l'aliment et de se mêler à la sauce. Le mieux est de réserver à cet usage une louche à sauce non émaillée : y verser l'eau-de-vie et chauffer en tenant sur le feu jusqu'à ce que l'alcool prenne feu. Il suffit alors d'arroser la préparation avec le contenu de la louche en flamme.

FOIE

Qu'on le cuise à la vapeur, au four ou à la poêle, bien veiller à retirer complètement la fine peau qui recouvre cet abat, afin d'éviter la rétraction à la cuisson.

FOND DE CUISSON

Si un produit de salaison (lardons ou dés de jambon, par exemple), même blanchi, entre dans un fond de cuisson (ou une préparation culinaire), ne pas saler systématiquement : attendre la mi-cuisson, goûter, et, éventuellement, rectifier.

FONDUE

• Si elle devient trop ***épaisse***, ajouter un peu de vin porté à ébullition pendant quelques minutes, en remuant.
• Si elle est trop ***liquide***, en revanche, ajouter quelques morceaux de fromages de base.
• Si elle forme des ***rigoles*** (on dit qu'elle « brèche »), un seul remède : à la cuisine, la remettre à feu très doux et la fouetter en incorporant du jus de citron.

FOUR

Voir : ***Cuisson au four*** (page 88).

FRICANDEAU DE VEAU

Pavé de viande coupé dans un des morceaux du cuisseau ou dans le quasi, que l'on pique en surface d'une multitude de petits bâtonnets de lard gras, comme un hérisson, pour le cuisiner (on peut demander au boucher d'effectuer cette opération). Il se cuit en cocotte, lard dessus, sans qu'on le retourne : celui-ci, en fondant, arrose la pièce en permanence. La tradition veut que la cuisson soit assez poussée, puisqu'on dit qu'un fricandeau doit se manger à la cuillère.

FRIRE A LA POÊLE

Si on ne veut pas utiliser un bain de friture pour quelques denrées seulement, ou parce que celles-ci risquent de lui donner un goût, verser de l'huile dans une poêle, la faire chauffer sans fumer et y faire frire les aliments en les retournant plusieurs fois. Si ces derniers sont minces, un demi-centimètre d'huile suffit, s'ils sont épais, il en faudra 1 centimètre.

FRITES ALLÉGÉES

Si l'on fait précuire les pommes de terre coupées au micro-ondes, programmé 5 minutes à 100 p. cent de la puissance, avant de les plonger dans leur bain de friture, elles pomperont beaucoup moins d'huile et seront d'une légèreté incomparable.

FRITURE

Il ne faut pas saler extérieurement un aliment avant de le plonger dans un bain de friture, pour éviter qu'il ne crépite dangereusement, mais le parsemer de quelques grains de gros sel une fois frit : il aura ainsi beaucoup plus de saveur.

En revanche, il faut saler pâte à frire ou panure avant d'en enrober l'aliment et de le frire, pour qu'il ne soit pas fade : il n'y a alors aucun risque de crépitement, car le sel s'est dissous dans la pâte ou dans l'œuf.

FROMAGES

Souvent on ne sait pas quoi faire avec les restes de fromages, après un repas de fête, ou lorsqu'ils ne sont plus présentables. Il existe plusieurs façons de les accommoder, froids ou chauds.

- **Gougère**

Retirer les croûtes des fromages, puis les râper ou les couper en petits dés, en fonction de leur nature, en écartant toutefois les plus puissants.

Incorporer à une pâte à chou, que l'on versera en couronne sur la plaque à pâtisserie légèrement graissée. Mettre au four préchauffé à chaleur moyenne pendant 30 minutes, en glissant le manche d'une spatule dans la porte pour l'évaporation. Déguster la gougère lorsqu'elle est tiède.

• Quiche ou tarte

Oter les croûtes des fromages (écarter ceux au parfum trop puissant), les couper en petits dés et les râper ou les émietter, selon leur nature. Mélanger avec des œufs battus et de la crème fraîche, et garnir de cette préparation un fond de tarte précuit 10 minutes à blanc. Cuire pendant 20 minutes environ à four chaud.

Pour obtenir une insolite quiche aux fromages, on peut aussi agrémenter de petits lardons. Et, si l'on préfère, confectionner des tartelettes individuelles.

• Sauce pour crudités

Retirer les croûtes des fromages et les mixer avec du fromage blanc. Servir cette sauce en « dip » (« tremper » en anglais), en accompagnement d'un panier de crudités : branches de céleri, tomates olivettes, radis, bâtonnets de carotte et de concombre, lamelles de fenouil et feuilles d'endives s'en accommoderont bien. Assaisonner avec sel, poivre, voire paprika ou fines herbes.

Bien entendu, si l'un des fromages a trop de personnalité (boulette d'Avesnes, puant de Lille, etc.), ne pas le mélanger aux autres.

GARENNE

Lorsqu'il est jeune lapereau, sa chair est très délicate. Pour en percevoir toute la finesse, on le fera rôtir, mais on évitera de le préparer en sauce, notamment en civet.

GÂTEAUX

• Pour qu'ils ***n'attachent pas*** à la cuisson, déposer une couche de gros sel assez épaisse entre le moule et la plaque du four. Les gâteaux fragiles se démouleront aussi plus facilement. Le sel pourra être réutilisé plusieurs fois si on le conserve dans un bocal réservé à cet usage.
• Pour ***vérifier la cuisson*** d'un gâteau, ouvrir le four vers la fin de la cuisson et planter la lame d'un couteau fin à cœur : si elle ressort sèche, il est cuit ; si de la pâte y adhère, prolonger la cuisson.

GELÉE

• De coing

Pour qu'elle reste blanche, ajouter le jus de deux citrons par litre de jus de coings.

• De fruits

• Si elle n'a ***pas pris***, la recuire, pendant 10 minutes environ, avec des pelures et pépins de pommes enfermés dans une petite mousseline (que l'on retirera ensuite) : ils contiennent beaucoup de pectine naturelle, très gélifiante. On peut aussi mettre les pommes entières (à raison de 250 grammes par kilo de gelée), mais elles vont dénaturer légèrement le goût de la gelée, ou bien employer un gélifiant spécial que l'on trouve dans le commerce.

• ***Tamiser*** les fruits cuits pour les séparer du jus est parfois délicat. Le meilleur système est le linge fin, mais il a tendance à tomber dans le jus. Pour éviter cet inconvénient, le fixer sur le bord d'une passoire au moyen de pinces à linge.

GÉNOISE

Pour vérifier la cuisson de ce biscuit, inutile d'y enfoncer la lame d'un couteau. Il suffit d'appuyer le doigt à la surface : si l'empreinte demeure, la cuisson de la génoise doit être poursuivie.

GRATINÉE

Préchauffer le four. Couper de fines tranches de pain de campagne en morceaux, les blondir très légèrement au gril et les couvrir de lamelles de fromage. Poser le pain à la surface de la soupe aux oignons, en poêlons individuels, et enfourner aussitôt, juste le temps de bien gratiner.

GRATINS

• Lorsqu'on prépare des restes en gratin, utiliser plutôt de petits plats individuels qu'un grand : cette présentation est beaucoup plus appétissante.

• Pour réchauffer un plat et le gratiner, le mettre d'abord à four moyen, couvert d'une feuille d'aluminium, pendant 10 à 15 minutes, puis augmenter la chaleur du four, ôter l'aluminium et laisser gratiner de 4 à 5 minutes.

• Pour éviter les grumeaux dans les gratins préparés avec du lait (gratin dauphinois, gratin de chou-fleur, entre autres), incorporer de la crème fraîche au lait.

GRILLER

Les pièces fragiles telles que poisson écaillé et tranches de poisson ou de viande doivent être posées sur le gril très chaud, afin de ne pas « coller ». Sinon, on les badigeonnera au pinceau d'un soupçon d'huile neutre supportant les fortes températures (arachide par exemple).
Voir aussi : ***Barbecue***
(page 75).

HACHIS PARMENTIER

Les amateurs de viande rouge se régaleront de cette variante insolite : entre deux couches de purée, disposer une couche

épaisse de steak haché (bœuf ou, mieux, cheval) bien assaisonné. Passer au four pour que la viande reste bleue.
Voir aussi : ***Bœuf bouilli***
(page 77).

HARENGS FRAIS

Lorsqu'on sert des harengs frais à la période où ils renferment laitance ou œufs, ne pas oublier les amateurs. Pour satisfaire tout le monde, les sortir pour nettoyer les poissons, puis remettre une demi-laitance et une demi-rogue dans chaque hareng avant de les cuire.

HARENGS ET SARDINES

Pour qu'ils dégagent le moins d'odeur possible à la cuisson, les mettre en papillote : beurrer légèrement un morceau d'aluminium de la taille désirée, y poser le poisson préparé, prêt à cuire, salé et poivré à l'intérieur, rabattre l'alu en le plaquant bien pour chasser l'air. Cuire sur le gril ou au four.

HUILES VÉGÉTALES CONCRÈTES

Ce sont des huiles solides à température ambiante. Elles peuvent frire, à condition de ne pas dépasser leur température de décomposition, appelée « point de fumée ».

Dès que les aliments sont frits, il faut les égoutter soigneusement aussitôt, car ces huiles figent rapidement et la dégustation pourrait s'en ressentir.

JAMBON CUIT A POÊLER

Éviter le jambon cuit dit « de Paris », de même que le jambon supérieur : si on les poêle, ils rejetteront de l'eau à cause des injections de saumure aux polyphosphates qu'ils ont reçues. Pour la cuisson, préférer un jambon au torchon ou un jambon à l'os.

LAIT

• Pour éviter qu'il ne ***tourne***, même par temps orageux, ajouter une pointe de couteau de bicarbonate de soude pour le faire bouillir.
• Pour qu'il n'***attache pas*** quand on le fait bouillir, mettre une soucoupe retournée dans la casserole.
• Pour qu'il ne ***déborde*** pas quand on le fait bouillir, utiliser une casserole d'une contenance largement supérieure à la quantité de lait. On peut aussi poser une cuillère en bois en travers de la casserole : elle crèvera la peau et empêchera le débordement.

LAITUES

En fin de saison, lorsqu'elles sont très grosses, presque montées, et trop fermes pour la salade, on peut en faire d'excellentes soupes. Jeter les feuilles avec leurs côtes (voire le trognon), préalablement épluchées et lavées, dans de l'eau salée en ébullition. Égoutter au bout de 1 minute et faire cuire dans un mélange de deux tiers de lait et d'un tiers de crème pendant 25 minutes environ. Passer au mixeur et servir avec des pluches de cerfeuil.

LANGOUSTINES ET ÉCREVISSES

Si on les fait sauter en fricassée, il vaut mieux, au préalable, fendre la carapace avec des ciseaux tout le long du dessous de la queue, afin de pouvoir les déguster plus facilement.

LAPIN

La plupart des recettes donnent des temps de cuisson trop longs. Trente minutes lui suffisent : il est alors tendre, bien blanc et se tranche à merveille en escalopes. Le four micro-ondes lui convient bien : la cuisson d'un arrière, avec un peu de beurre et de jus de citron, ne demande pas plus de 6 à 8 minutes à 100 p. cent de la puissance, à couvert, en le retournant à mi-cuisson (si on garde le foie, ne l'ajouter qu'à ce moment-là).

Le foie ne se fait pas cuire en même temps que le lapin, car il serait trop sec : on le met dans la sauce 10 minutes avant la fin de la cuisson. On l'émince en tranches pour servir.

LARD

Si on le fait cuire au micro-ondes, il faut ôter la couenne, qui durcirait et serait immangeable.

LÉGUMES

• Cuits

S'ils ne sont pas en sauce, on peut les préparer en vinaigrette.

Ceux du pot-au-feu, s'il en reste, seront coupés en dés ou émincés, puis réchauffés au beurre, à la poêle ; si le bouillon n'était pas gras, ils feront une délicieuse salade parfumée avec des herbes fraîches ; enfin, les poireaux entiers s'agrémenteront d'une vinaigrette.

• Nouveaux

On exaltera la saveur des petits légumes nouveaux (carottes, navets, petits pois) en ajoutant un morceau de sucre ou deux à la cuisson, selon la quantité de légumes.

• Secs

Il faut les saler seulement à mi-cuisson (parfois plus pour ceux qui réclament un très long temps de cuisson), car le sel durcit leur peau.

• **Verts**

Pour qu'ils restent bien verts quand on les cuit à l'eau, les plonger dans de l'eau salée en pleine ébullition, dont la quantité sera suffisante pour que l'ébullition ne s'arrête pas, sans couvrir. Ensuite, il y a deux façons de procéder :
• bien les égoutter, très rapidement, et les passer aussitôt à l'eau courante, aussi froide que possible ;
• les égoutter dans une passoire, puis plonger celle-ci dans une bassine d'eau avec des glaçons.

LENTILLES

Il est facile de préparer deux plats en les faisant cuire en une fois : il suffit d'utiliser une fois et demie la quantité nécessaire au départ.

Une fois cuites, égoutter les lentilles destinées à être consommées aussitôt avec une écumoire. Ajouter du beurre, du sel, du poivre et autres aromates, selon le goût, pour servir.

On accommodera le reste en salade, après les avoir bien égouttées, ou on préparera une soupe avec leur eau de cuisson.

LIAISON AU SANG

En principe, elle s'effectue avec le sang de l'animal, qui doit avoir été recueilli au moment où celui-ci a été tué. La liaison ne doit ***pas cuire***. Prélever la sauce dans le plat cuillerée par cuillerée l'une après l'autre, et la verser en très mince filet (presque au goutte à goutte) dans le récipient contenant le sang, en le fouettant. Reverser ensuite dans la cuisson, ***hors du feu***, toujours en mince filet, sans cesser de remuer.

A défaut du sang de l'animal, il existe du sang de porc destiné à cet usage, que l'on trouve chez certains charcutiers.

Si on veut incorporer le foie à la liaison, le hacher, enlever toutes les peaux et le mélanger au sang avant de lui ajouter la sauce.

LOTTE

La lotte, ou queue de lotte, est le nom de la baudroie étêtée et dépouillée. Pour la cuire, il faut la saisir sur toutes les faces, comme une viande, puis baisser le feu pour éviter qu'elle ne rende de l'eau.

MAGRET

Pour le griller, utiliser un gril à rebord. Inciser la peau sur 3 ou 4 millimètres de profondeur, en pénétrant dans le gras, à intervalles d'environ 3 centimètres, en quadrillant en losanges.

Poser d'abord le magret sur le gril côté peau, et éliminer la graisse au fur et à mesure, car il ne doit pas frire. Quand la peau croustille, retourner le magret pour cuire le côté chair pendant 1 à 2 minutes seulement.

MAÏS FRAIS

• Pour ***pocher***, ôter les feuilles et les barbes, et plonger les épis dans du lait coupé à moitié d'eau : les grains seront plus savoureux.
• Pour les ***griller***, enlever les barbes mais laisser les feuilles, pour éviter que les grains ne durcissent.

MARGARINE

Même si elle est entièrement végétale et de haute qualité, elle ne peut pas frire : la législation exige (afin, qu'elle ne soit pas confondue avec le beurre), en effet, qu'elle comporte un petit pourcentage d'amidon.

MERINGUES

Pour qu'elles soient bien sèches, coincer une rondelle de bouchon en liège (de 1 centimètre d'épaisseur environ), ou un manche de cuillère en bois, dans la porte du four, de façon qu'elle reste légèrement entrouverte pour permettre l'évacuation de la vapeur.

MICRO-ONDES

Voir : ***Cuisson au four micro-ondes*** (page 88).

NAGE

C'est un court-bouillon, que l'on sert en même temps que les crustacés qu'on y poche : les légumes qui la composent (poireaux, carottes, oignons) doivent donc être également bien cuits.

ŒUFS

On peut préparer d'insolites ***amuse-gueule*** gourmands avec des blancs d'œufs dont on n'a pas l'utilité (lors de la préparation d'une crème anglaise, par exemple) : les battre en neige, leur incorporer du fromage râpé (250 grammes d'emmental pour cinq blancs), du sel et du poivre, puis les façonner en boulettes, que l'on fait frire jusqu'à ce qu'elles soient dorées.

• A la neige

Pour qu'ils gonflent mieux, additionner le lait dans lequel on va pocher les blancs en neige de la même quantité d'eau.

Les prélever avec une cuillère trempée dans de l'eau froide, afin qu'ils glissent mieux. Ne pas en mettre trop à la fois pour leur laisser la place de gonfler.

Ce lait « mouillé » ne s'utilise pas, bien sûr, pour la crème anglaise.

• Coque, mollets ou durs

Pour que les œufs n'éclatent pas, piquer la chambre à air avant de les plonger dans l'eau : perforer la coquille sur le gros bout avec une aiguille fine.

Sortir les œufs 1 heure à l'avance du réfrigérateur et les plonger dans de l'eau en pleine ébullition. Leur temps de cuisson respectif est progressif et va de 3 minutes en 3 minutes : 3 minutes pour les coque, 6 minutes pour les mollets et 9 minutes pour les durs.

Pour des œufs à la coque parfaits, on peut aussi porter une casserole d'eau à ébullition, la retirer du feu et y plonger aussitôt les œufs 5 minutes exactement : ils seront crémeux à souhait.

• Brouillés

Procéder à chaleur douce : celle du bain-marie, et non directement sur le feu. Mettre un peu de beurre fondu dans la casserole, ajouter les œufs hors du bain-marie, mélanger et remettre au bain-marie, sans cesser de remuer, en incorporant un reste de beurre en noisettes bien fermes. Compter 15 grammes de beurre par œuf.

Si les œufs brouillés sont un peu secs, sortir le récipient du bain-marie et continuer à remuer en incorporant un jaune d'œuf, ou 1 cuillerée à soupe de crème, ou bien les deux (pour six œufs).

• Durs

Pour que le jaune soit bien centré, faire rouler les œufs pendant 1 minute, dès qu'on les met dans la casserole.

• Fêlés

Lorsque les œufs cuisent avec leur coquille, il arrive qu'ils claquent. Pour qu'ils ne se vident pas s'ils sont fêlés, il faut saler généreusement l'eau de cuisson, ou frotter la fente, en débordant largement, avec du jus de citron.

• Pochés

Pour qu'ils aient une jolie forme, employer des œufs extra-frais, dont le blanc est bien compact autour du jaune : celui des œufs moins frais, plus liquide, risquerait de se répandre en filaments coagulés dans le liquide de pochage.

Ne pas saler l'eau de cuisson, mais la vinaigrer légèrement : si le sel ralentit la coagulation des blancs, l'acidité l'accélère.

Utiliser de préférence un récipient large et bas pour pouvoir plonger les œufs plus facilement dans le liquide, qui doit frémir et non bouillir. Les casser un à un dans une louche, amener celle-ci au niveau du liquide et la retourner d'un coup sec. Ramener aussitôt le blanc autour du jaune avec une écumoire. Ne pas pocher plus de quatre œufs à la fois et les ressortir dans l'ordre où ils ont été introduits, en les laissant cuire de 3 à 5 minutes, selon le goût.

Pour le petit déjeuner, on peut également pocher un œuf au micro-ondes : mettre un bol d'eau chaude additionnée de 1/2 cuillerée à café de vinaigre de vin blanc ou de jus de citron, sans sel, dans le four, sans couvrir, 1 mn 30 à puissance maximale ; casser l'œuf dans le bol d'eau bouillante, remettre 30 secondes à puissance maximale, puis sortir l'œuf avec une écumoire : il est parfait.

- **Sur le plat**

Ne saler que le blanc : sur le jaune, le sel forme de petits points blancs peu esthétiques.

OIE GRASSE

Piquer la peau en sept ou huit endroits, sur la poitrine et sur les cuisses, avec une aiguille à brider. La poser dans un plat non graissé et l'enfourner à 60 °C pendant 30 à 40 minutes, selon sa grosseur. Vider la graisse fondue et préparer l'oie comme indiqué dans la recette.

ORMEAU

Le sortir de la coquille, laver la chair à l'eau vinaigrée pour éliminer le mucus, l'enfermer dans un linge et battre pendant quelques minutes avec une batte, le plat d'un couperet ou un rouleau à pâtisserie. Escaloper en biais, piquer chaque tranche avec une fourchette ou un pique-vite à pâtisserie, et fariner pour sécher.

Faire sauter à la poêle, au beurre, de 1 à 2 minutes par face et servir avec une persillade.

OS A MOELLE

Pour que la moelle reste en place en cours de cuisson, frotter les deux faces de l'os avec du sel fin.

Voir aussi : ***Pot-au-feu*** (page 58).

OSEILLE

Voir : ***Épinards*** (page 91).

OSSO BUCO

Tranches coupées dans le jarret de veau comprenant chacune l'os central. Avant de les cuire, entailler la peau sur tout le pourtour, tous les 2 à 3 centimètres, afin qu'elles ne se recroquevillent pas sous l'effet de la chaleur.

OURSINS

Pour les ouvrir, introduire la branche la plus fine de ciseaux à bouts pointus dans la bouche (la partie molle au milieu des piquants) et couper en rond pour enlever une calotte assez large. En tenant l'oursin à l'envers, vider l'eau en le secouant de plusieurs coups secs, de façon à entraîner en même temps une partie des filaments entourant les gonades. Finir de nettoyer à la main, seules les parties orangées devant rester dans la coquille.

PALMIERS

Pour réaliser cette pâtisserie, utiliser les chutes de feuilletage. Les rassembler en un pâton carré, puis l'abaisser en une bande de 10 à 12 centimètres de large et 3 millimètres d'épaisseur. Replier ensuite chaque extrémité jusqu'au quart de la longueur, replier encore une fois vers le centre, couper le long du pliage des bandes de 1 centimètre d'épaisseur, les parsemer d'un peu de sucre semoule sur les deux faces et les cuire pendant 15 minutes au four à 210 °C, en les retournant à mi-cuisson.

PÂTES FRAÎCHES

Pour qu'elles ne collent pas entre elles à la cuisson, additionner l'eau de cuisson d'une cuillerée à soupe d'huile et les mélanger avec une spatule dès qu'on les met dans le faitout.

PERSIL FRIT

Choisir du persil frisé pour ce décor traditionnel de certaines présentations.

Ficeler un bouquet de persil lavé et bien essoré (il doit être sec), en laissant pendre un long bout de ficelle de ménage. Faire chauffer l'huile de friture et y tremper le bouquet en le tenant par la ficelle, pour éviter tout risque de brûlure. Dès que les feuilles de persil sont raidies, sortir le bouquet et le poser sur du papier absorbant. Couper les queues juste au-dessus de la ficelle.

PÉTONCLES

De la famille des coquilles Saint-Jacques, mais de petite taille et s'en différenciant par des oreilles de taille inégale, ils se lavent à grande eau et les amateurs ne retirent même pas les barbes. Le mieux est de les mettre en poêlon au four. Lorsqu'ils sont ouverts, les présenter avec pain et beurre demi-sel.

PIÈCES A RÔTIR

Pour que la viande ne baigne pas dans le jus qu'elle va rendre en cuisant et ne durcisse pas, ou bien pour que la peau d'un poisson ne se délite pas, il ne faut pas les poser à même le plat, mais sur une grille.

Le plat supportant la grille avec la pièce à rôtir va recueillir les jus qui vont s'écouler : il faut le graisser pour éviter que ceux-ci ne se dessèchent et ne brûlent. Le beurre est la matière grasse la plus utilisée, mais il a l'inconvénient de se décomposer, en donnant de l'amertume, dès que la température de cuisson atteint 130 °C.

Pour les hautes températures du rôtissage, on lui préférera une huile pure, d'arachide si l'on désire la neutralité du goût, que l'on badigeonnera au pinceau.

Préchauffer le four 20 minutes environ avant d'enfourner la viande ou le poisson, afin que la surface « croûte » le plus rapidement possible sous l'effet de la chaleur : le sang et les sucs resteront ainsi à l'intérieur de la chair, qui sera alors plus juteuse et plus goûteuse (240 °C pour les viandes rouges et 210 °C pour les viandes blanches ou les gros poissons).

Une fois rôtie, envelopper la pièce d'aluminium ménager, afin qu'il n'y ait pas déperdition d'arômes, et la mettre dans une grande cocotte en fonte fermée : elle sera juteuse et savoureuse à souhait.

PINTADE

• La peau de la pintade se déchire au plumage. C'est pour cela qu'elle est souvent vendue entourée d'une barde, qui permet en outre à la chair de ne pas sécher.
• Pour que la chair soit plus moelleuse, introduire dans la cavité ventrale, avant cuisson, au choix, une grosse noix de beurre, deux petits suisses nature, une pomme fondante évidée, pelée et coupée en dés, ou bien plusieurs de ces ingrédients.

POCHER

Pour pocher une pièce de viande, une volaille ou un poisson, préparer le bouillon de pochage dans un récipient à anses. Envelopper la pièce dans une mousseline à beurre et lier chaque extrémité avec de la ficelle de ménage en laissant un long bout libre. Attacher les bouts de ficelle à chaque anse, de sorte que la pièce à cuire soit suspendue au milieu du bouillon de pochage.

POISSON

Hormis les préparations classiques énumérées ci-après, on peut l'apprêter, comme les viandes blanches, en ***fritots*** (beignets en pâte à frire), ***boulettes***, ***croquettes***, ***fricadelles***, ***galettes*** ou ***farce de crêpes***. On peut aussi le servir en ***gratin***, comme pour une viande bouillie.

Pour utiliser les restes de poisson, on peut les préparer en salade, avec une sauce citronnée et beaucoup de persil, ou bien, s'ils sont abondants et présentables, les incorporer à une salade composée à base de pommes de terre ou de riz. Éviter les poissons qui ont tendance à gélifier (turbot, par exemple).

Lorsqu'on le poche ou qu'on le grille, laisser les écailles : le poisson sera plus savoureux. Une fois cuit, il suffit d'ôter la peau en entraînant les écailles pour servir.

• A la vapeur

Cuit de cette façon, un poisson sera beaucoup plus facile à

éplucher à chaud, car la peau ne collera plus à la chair. Il faut éviter de cuire ainsi les filets sans les envelopper de légumes-feuilles ou de film étirable, pour qu'ils ne soient pas « lavés ».

• Frit en manchon

Tremper le poisson dans de la pâte à frire, puis, avec un papier absorbant, la retirer sur 2 à 3 centimètres, du côté de la queue et de la tête, en en laissant au point de jonction entre la tête et le corps, afin que celui-ci ne se détache pas dans le bain de friture.

• Grillé

Pour qu'il n'attache pas au gril, recouvrir celui-ci d'une feuille d'aluminium avant de poser le poisson. Le gril doit impérativement être très chaud.

Un poisson de grosse taille se grille non écaillé, après qu'on l'a vidé sans ouvrir la cavité ventrale et que l'on a rempli celle-ci, éventuellement, d'aromates. Pratiquer quelques incisions profondes sur la partie épaisse du dos. Retourner le poisson plusieurs fois sur le gril, et ne pas attendre qu'une face soit cuite pour cuire l'autre.

Une très belle pièce sera de préférence rôtie à la broche.

• Meunière ou frit

Une fois le poisson écaillé, vidé, lavé et séché, le faire tremper dans du lait pendant 10 minutes environ avant de le cuire, puis l'éponger, le frotter de farine pour bien le sécher, et le secouer pour en ôter l'excédent.

• Poché à froid ou à chaud

Si le poisson est ***entier*** et en peau (avec ou sans écailles), le plonger dans le court-bouillon froid, pour éviter qu'il ne se déforme par une brusque rétraction des chairs. Une seule exception à cette règle : la cuisson au bleu, où cette déformation est voulue et nécessite donc un court-bouillon bouillant.

Si le poisson est en ***tronçons*** ou en ***filets***, une partie de la chair étant donc à nu, il faut au contraire le plonger dans un court-bouillon frémissant, de façon que la surface de la chair se « coagule » aussitôt, empêchant ainsi que les sucs ne s'échappent, et que le poisson ne perde sa saveur et ne se dessèche.

On peut utiliser du ***lait*** comme liquide de pochage, surtout pour les poissons plats, en ajoutant simplement les aromates d'un court-bouillon normal : la chair gagnera en finesse. Si le poisson a encore sa peau, le dépouiller avant de servir.

Si on veut ***servir froid*** un poisson poché, raccourcir le temps de cuisson de quelques minutes et le laisser refroidir dans le court-bouillon.

POISSONS OU VIANDES BLANCHES

Il existe diverses façons d'accommoder des restes, idéales lorsqu'ils sont peu abondants.

• On peut préparer des ***coquilles*** ou des ***tartelettes*** : selon la quantité, les hacher, ou les couper en dés ou en lamelles, ou bien moitié/moitié. Mélanger, selon le goût, avec de la crème fraîche et du persil haché, une sauce Béchamel ou une sauce Mornay (béchamel au fromage), en ajoutant dans ce cas des lamelles ou des dés de champignons de couche préalablement étuvés au beurre. Passer au four et servir chaud.

• On peut également confectionner une ***farce pour crêpes*** : hacher les restes, ajouter de la béchamel crémée ou de la sauce Mornay et, éventuellement, des champignons de couche coupés en lamelles ou en dés étuvés au beurre. Farcir les crêpes de ce mélange, les rouler et passer au four.

• Enfin, coupés en dés ou hachés, ou, mieux, moitié/moitié de chaque, ils se transformeront en un délicieux ***soufflé*** : mélanger avec une béchamel enrichie de jaunes d'œufs, puis ajouter les blancs battus en neige ferme. Faire cuire à 210 °C pendant 20 minutes et servir à la sortie du four.

Voir aussi : ***Viandes blanches*** (page 113).

POMMES AU FOUR

Pour qu'elles conservent un bel aspect et ne se rident pas, les badigeonner d'huile au pinceau avant de les cuire, et pour éviter qu'elles ne s'effondrent à la cuisson, les « cerner » : fendre la peau sur 1 à 2 centimètres à partir du sommet, sur tout le pourtour, avant de les enfourner.

POMMES DE TERRE

En robe des champs, elles ne seront plus ridées après cuisson (au four, à la braise ou sous la cendre) si on les badigeonne d'huile au pinceau avant de les envelopper de papier d'aluminium.

Lorsqu'on doit les incorporer dans une sauce, les cuire à l'eau au préalable avec leur peau, afin qu'elles ne se gorgent pas d'eau et puissent s'imprégner de la saveur de la sauce.

POTAGE

Pour l'épaissir s'il est trop clair, mélanger 1 cuillerée à soupe de fécule (de pomme de terre ou de maïs) et 4 cuillerées à soupe d'eau froide (pour un potage de quatre personnes) dans un bol. Bien délayer et verser dans le potage, sans cesser de remuer.

S'il est trop salé, peler une pomme de terre, la couper en morceaux et faire cuire ceux-ci dans le potage : l'excédent de sel sera absorbé. Les retirer avec une écumoire avant qu'ils s'écrasent.

POT-AU-FEU

Pour qu'il ne soit pas gras, ne pas faire cuire les os à moelle dans le pot-au-feu : prélever quelques louches de bouillon et cuire les os à part.
*Voir aussi : **Os à moelle***
(page 101).

POULPES

Ce mollusque rend beaucoup d'eau, de couleur rose à rouge, qu'il faut lui faire évacuer avant de le cuisiner.

Plonger les poulpes dans de l'eau en ébullition pendant 5 minutes, les égoutter et les tronçonner en morceaux de 3 à 5 centimètres, en éliminant toute trace de peau. Les mettre dans une sauteuse, à feu doux, pendant 15 minutes à couvert, puis retirer le couvercle. Laisser cuire jusqu'à évaporation quasi complète du liquide.

Servir en salade ou en sauce.

QUATRE-QUARTS

Pour qu'il cuise uniformément, sans masse pâteuse au centre, ne pas préchauffer le four et régler la température à 190 °C, de façon que la surface ne soit pas saisie trop rapidement.

RADIS ROSES

Si les fanes sont belles, elles peuvent servir de base à un délicieux potage : ajouter un oignon et quelques pommes de terre, ou, pour une version plus veloutée, pas de pommes de terre mais de la crème fraîche.

RAMEQUINS

Pour faire cuire des ramequins au bain-marie au four, les mettre dans un plat creux profond et verser de l'eau dans le plat de façon qu'elle atteigne la hauteur du contenu des ramequins.

Les ramequins individuels n'étant pas munis de couvercles, couvrir le plat d'une feuille d'aluminium, en veillant à ce qu'il ne touche pas le contenu des moules.

Pour qu'ils ne « cliquettent » pas dans le plat et ne se cassent pas, plier un linge au fond du plat avant d'y poser les moules.

RATATOUILLE

Faire fondre à l'huile, séparément, les aubergines, les poivrons et les courgettes (en quantité égale). Préparer à part une fondue de tomates (même poids que chaque autre légume). Mélanger le tout une fois les cuissons respectives terminées.

RÉCIPIENT HERMÉTIQUE

Lorsqu'un plat réclame une longue cuisson douce, le récipient doit être complètement hermétique pour éviter l'évaporation des jus, donc le dessèchement.

Si le couvercle, n'assure plus l'étanchéité, il faut le « luter » : préparer une pâte avec de la farine et de l'eau, assez mollette, et l'appliquer sur tout le pourtour. Pendant la cuisson, la pâte va sécher et former un joint efficace.

RILLETTES MAISON

Qu'elles soient d'oie, de porc ou de lapin, couper les viandes dans le sens des fibres, et non perpendiculairement à celles-ci : ainsi, les rillettes seront longues, une de leurs qualités pour les amateurs.

RIS

Quelle que soit leur préparation ultérieure, ils doivent être blanchis : les mettre dans de l'eau froide salée et citronnée, à feu doux, jusqu'au frémissement. Les égoutter aussitôt, puis les passer sous l'eau froide pour les raffermir, en enlevant les peaux et les graisses qui les recouvrent.

RISOTTO

*Voir : **Riz en risotto*** (page 108).

RISSOLES ET FRIANDS

Avec de la chair de poisson ou de la viande coupée en dés ou hachée, additionnée de sauce et/ou d'aromates, on peut préparer des rissoles ou des friands en enfermant de petites portions respectivement dans de la pâte à foncer (ou brisée) ou de la pâte feuilletée. Les premières se cuisent en friture ou sur la plaque du four, les seconds exclusivement au four. Si on utilise des restes de poisson, servir avec du persil frit (voir page 102) et des quartiers de citrons.

RIZ

Pour avoir du riz bien blanc, ajouter 1 cuillerée à soupe de vinaigre ou de jus de citron à l'eau de cuisson.

• Au lait

Laver le riz et le mettre dans une casserole d'eau froide salée. Dès que l'ébullition se produit, égoutter l'eau, puis ajouter le lait bouillant. Terminer la cuisson selon la recette.

Sucrer en fin de cuisson seulement, lorsque tout le lait a été absorbé, car le sucre empêche le riz de cuire.

• En risotto

Préparer un riz en risotto signifie le cuire dans de la matière grasse. Il ne faut donc jamais le laver auparavant, car si les grains sont humides, ils ne pourront pas absorber complètement cette dernière. Pour ôter le talc dont il est recouvert, mettre le riz dans un torchon et secouer celui-ci vigoureusement de droite à gauche, et inversement, plusieurs fois. Pour le cuire, le mettre dans le récipient, à feu doux, avec la matière grasse choisie et, éventuellement, des aromates, et remuer souvent jusqu'à ce que les grains deviennent translucides. Ajouter le liquide désiré seulement à ce moment-là.

Une version allégée consiste à faire le risotto au micro-ondes : cela n'est pas plus rapide que sur une cuisinière, mais on utilise trois fois moins de matière grasse.

ROGNON

Si on fait cuire un rognon à feu doux, c'est-à-dire longuement, il deviendra caoutchouteux. Il faut donc le saisir à feu assez vif, pour que la cuisson soit brève, jusqu'à ce que du sang perle rosé sur la face interne coupée.

• De veau

Pour le griller, laisser une petite épaisseur de la graisse qui l'enrobe : il gagnera beaucoup en saveur.

ROSBIF

Pour réussir un rosbif à l'anglaise, le tremper pendant quelques secondes dans de l'eau bouillante avant de le mettre au four. Cette méthode, appelée « charcutière », permet d'obtenir une belle viande à présenter en tranches froides.

SAINDOUX

Cette matière grasse supporte la chaleur jusqu'à 210 °C. Pourtant, elle est dédaignée au profit de certaines huiles. Puisque c'est la graisse du porc, c'est elle qui convient le mieux pour le cuire : ne pas hésiter à l'utiliser. Le lapin s'en accommode bien également. Paradoxalement, alors qu'elle ne va pas avec le bœuf, on en barde cette viande.

SANDRE

Ce poisson à chair maigre et délicate, avec relativement peu d'arêtes, dont on a repeuplé plusieurs eaux françaises pour remplacer le brochet, n'a qu'un inconvénient : sa cuisson (poché ou au four) doit être bien menée, car il se dessèche s'il est trop cuit.

SANG

*Voir : **Liaison au sang*** (page 98).

SARDINES

Grillées au micro-ondes, sur un plat brunisseur, les sardines ne dégagent pas d'odeur. Préférer les petites.

• A l'huile

Pour préparer de fausses « rillettes », bien égoutter l'huile, enlever les peaux et les arêtes des sardines, malaxer la chair avec un peu de beurre, de poivre, de raz-el-hanout, et, éventuellement, de sel. Mettre le mélange dans de petites coupelles en grès pour donner un côté rustique à ce petit hors-d'œuvre, ou bien le tartiner pour un casse-croûte.

SAUCE MOUTARDE

La moutarde s'ajoute à la sauce hors du feu, car elle ne doit pas cuire. La chaleur de la base (sauce blanche crémée) suffit pour lui faire perdre son piquant.

SAUGE

Contrairement aux autres herbes aromatiques, les cuisiniers préfèrent l'utiliser séchée, car pendant son séchage elle perd son arrière-goût légèrement camphré. Elle se marie bien avec les soupes de légumes, le veau, le canard, le chou, les pâtes, mais il faut l'utiliser avec parcimonie, sans trop la cuire, et de préférence seule pour pouvoir bénéficier de toute sa saveur.

SAUMON FRAIS

• A l'unilatérale

Très à la mode, cette façon de cuire le saumon au gril, sur la peau, vient du Danemark. Pour réussir la cuisson, conserver la peau et les écailles. Poser le morceau de filet sur le gril, à chaleur modérée, côté écailles en dessous, parsemer quelques grains de gros sel à la surface et laisser cuire : petit à petit, la chaleur va griller les écailles et la peau sur une épaisseur de 3 à 4 millimètres ; en cuisant, la chair devient couleur de saumon rôti, puis de moins en moins intense jusqu'à la surface, qui doit rester couleur de saumon cru, mais tiédi, le sel commençant à fondre. Ne pas retourner. La peau se déguste.

• Poché

Le court-bouillon au vinaigre risque d'altérer la belle couleur rose du saumon : préférer un court-bouillon au citron.

SEL DE CÉLERI

Pour éviter d'acheter un pied ou même un demi-pied de céleri seulement pour parfumer un bouillon, ou bien lorsque ce légume manque, hors saison, penser au sel de céleri. Mais attention : il parfume et il sale en même temps.

SIROP DE POCHAGE

Lorsqu'on poche des poires dans du sirop de sucre, filtrer et mélanger celui-ci avec le même poids de pulpe de fruits frais, au choix, et mettre en sorbetière pour obtenir un sorbet original des plus raffinés.

SOLE

En général, le poissonnier retire, à la demande, la peau sombre, surtout sur les petits spécimens : l'avantage est que le poisson risque moins de se défaire. On peut également faire retirer la peau blanche sur les grosses soles pour rendre la dégustation plus agréable.

SOUFFLÉ

S'il dore trop vite, le protéger avec une feuille d'aluminium pour arrêter le brunissement, en ayant pris soin de la beurrer au préalable pour qu'elle ne colle pas à la préparation.

SOUPE DE POIS

Lorsqu'on prépare un potage Saint-Germain ou une soupe de pois cassés, faire rissoler à la poêle des petits lardons demi-sel blanchis (pour qu'ils soient roses) ou de fines rondelles de chipolatas, ou bien du maigre de jambon de pays grossièrement haché. Bien égoutter et les mélanger avec la soupe au moment de servir.

STEAK AU POIVRE

Utiliser du poivre concassé. L'appliquer sur les deux faces du steak, en appuyant légèrement avec les doigts pour qu'il tienne, avant de le poêler.

SUCRE GÉLIFIANT

Voir : ***Confitures et gelées*** (page 83).

SURIMI

Chair de poisson restructurée et aromatisée, en général au goût de crabe, et le plus souvent présentée en bâtonnets. Pour servir et faire illusion avec une salade de crabe, bien effeuiller les bâtonnets entre les doigts avant de les mettre en sauce.

TARTE

- **Aux fruits juteux**

Mélanger 50 grammes de Maïzena ou de fécule de pomme de terre avec 50 grammes de sucre en poudre et couvrir la pâte crue de ce mélange pour que les fruits ne la détrempent pas pendant la cuisson.

• **Aux pommes**

Elle sera encore plus savoureuse si on fait revenir les pommes coupées en lamelles dans un peu de beurre, à la poêle, avant d'en recouvrir la pâte.

• **Tatin**

Cette tarte se cuit dans un moule spécial, appelé moule à Tatin, épais et profond d'environ 5 centimètres. A défaut, on peut utiliser un moule à manqué.

Couper les pommes, évidées et pelées, en huit. Les dorer au beurre (à raison de 80 grammes par kilo de fruits), dans une poêle, sur toutes les faces, en les poudrant en pluie de sucre semoule et en les retournant pour qu'elles se caramélisent légèrement. Ne pas les cuire complètement. Les mettre dans le moule bien beurré, puis ajouter quelques noisettes de beurre et de sucre semoule.

Une fois la tarte montée, pour qu'elle reste croustillante, la perforer de place en place avec une aiguille à brider : la vapeur dégagée par les fruits pendant la cuisson pourra ainsi s'échapper. Ne pas dorer la pâte pour ne pas boucher les trous (cela n'a d'ailleurs pas d'importance, puisque la tarte est retournée pour servir).

Voir aussi :
Cuire à blanc (p. 86).

TERRINE

Poser la terrine, hermétiquement fermée, dans un plat à bords hauts contenant de l'eau jusqu'à mi-hauteur du récipient. Mettre le bain-marie au four préchauffé pendant 15 minutes à 180 °C pour une farce de 1 à 1,500 kg et à 150 °C pour une quantité plus importante.

Le couvercle de la terrine doit être hermétique, pour que le pâté ne se dessèche pas pendant la longue cuisson, mais il ne faut pas boucher le trou dont il est muni : il joue le rôle de soupape de sécurité.

A sa sortie du four, la laisser refroidir sans l'ouvrir. Lorsqu'elle est froide, la mettre au réfrigérateur pendant vingt-quatre heures telle quelle. On pourra l'entamer le lendemain, car elle se démoulera et se tranchera alors facilement.

THON

• C'est un poisson gras. Pour qu'il le soit moins, on peut le ***pocher*** pendant quelques minutes avant de le cuisiner.

• Le thon a été baptisé « veau des Chartreux » par Grimod de la Reynière, et, de fait, nombreuses sont les ***recettes de veau*** qui lui conviennent bien : en « chartreuse », rouelle aux légumes ou rôti en cocotte, entre autres.

• Si on le fait ***griller*** au barbecue, le plonger au préalable dans de l'eau bouillante pour coaguler la surface de la chair, afin que l'odeur de la braise ne soit pas trop désagréable. De plus, il se dessèchera moins.

TOMATES

• Pour les ***concasser***, une fois pelées, les couper en quatre ou en huit, selon leur grosseur, éliminer toute l'eau et les graines, puis couper la pulpe en dés. Mettre les tomates dans une passoire, saler légèrement et les laisser égoutter.
• Pour rectifier l'***acidité*** des tomates cuites, à la poêle ou en coulis (surtout s'il est concentré), les poudrer d'un peu de sucre semoule.

TOURTE A FARCE HUMIDE

Avant d'enfourner, pratiquer un petit trou dans le couvercle de pâte et y enfoncer un petit morceau de carton souple pour qu'il ne se rebouche pas pendant la cuisson. Cette cheminée permettra à la vapeur de s'évacuer pendant la cuisson : ainsi la pâte restera croustillante.

TURBOT

• La cuisson de ce poisson, surtout par pochage, ne doit pas être poussée : il deviendrait gélatineux.
• Pour utiliser des restes, préférer une préparation où le turbot sera réchauffé en sauce plutôt qu'une salade, car une fois froid, il est gélatineux.

VEAU

• Pour avoir une ***viande juteuse*** et moelleuse, arrêter la cuisson dès qu'il n'est plus saignant, sinon il sera sec.
• Il est parfois délicat de bien dorer des côtes de veau, car elles rendent un peu d'eau. Pour pallier cet inconvénient, les fariner légèrement avant de les cuire.
Voir aussi : ***Fricandeau de veau*** (page 93), ***Poissons ou viandes blanches*** (page 105) et ***Viandes blanches*** (page 113).

VIANDES

• **A rôtir**

• Si on ***pique une viande d'ail*** pour la parfumer, introduire les gousses en biais entre les fibres : à la verticale, elles risquent de sortir à la cuisson, sous l'effet de rétraction des chairs.
• Il ne faut ***pas verser d'eau au fond du plat*** pour cuire un rôti : celle-ci s'évapore et est cause de durcissement.
• Si le morceau à rôtir est laissé nu, ***saler*** seulement après que la chaleur a croûté la surface, car le sel fait exsuder le sang et les sucs : cela dessèche la viande et lui fait perdre une partie de sa saveur.

Par contre, si la viande est couverte de son gras ou si elle est bardée, elle peut être salée au départ.
• Couper juste le nombre de ***tranches nécessaires*** quand la viande est dégustée chaude.

Si on veut la servir froide, attendre que le reste de rôti ait refroidi, l'envelopper de film étirable et le mettre au réfrigérateur. Il sera ainsi plus facile de couper des tranches très fines, comme il se doit pour les assiettes anglaises, qui seront plus appétissantes.

En général, on présente les tranches de viande rôtie froides avec des cornichons ou de la moutarde. On ne pense pas au ***gros sel***, qui permet d'exalter leur saveur.

• Blanches

La façon la plus simple d'utiliser des restes est de les façonner en délicieuses ***boulettes, croquettes, fricadelles*** ou ***galettes***. Après les avoir hachés, on ajoute, au choix, un tiers de mie de pain trempée dans du lait ou du riz rond cuit à la créole, des herbes fraîches ciselées, des œufs et assaisonnements selon le goût. On les façonne alors respectivement en petites boules ou petits boudins, que l'on fera frire, ou bien en boulettes aplaties ou en galettes, que l'on poêlera.

Voir aussi :
Poissons ou viandes blanches (page 105).

• Bouillies

Avec des restes de viande bouillie, préparer un délicieux gratin : émincer la viande (bœuf, veau, mouton ou porc) en lamelles ou la hacher, rectifier l'assaisonnement et ajouter une grande quantité de persil haché. Disposer en couches alternées dans un plat à gratin, avec des coquillettes au beurre et au fromage. Faire gratiner sous la voûte du four.

VIN BOUCHONNÉ

Penser qu'on ne perdra rien en utilisant du vin bouchonné pour préparer une sauce est une erreur : la sauce sera gâchée, car le goût de bouchon persiste à la cuisson.

VIVE

Poisson à la chair très délicate. Après l'avoir paré avec les précautions d'usage, le préparer comme la sole, ou bien le griller. Éviter de le pocher (il perdrait de sa saveur), sauf pour l'ajouter à une soupe, que sa chair maigre bonifiera.

VOLAILLE RÔTIE

Quinze minutes avant la fin de la cuisson, couper la ficelle du bridage pour desserrer légèrement les cuisses, plaquées contre le corps, afin de favoriser une cuisson homogène.

Vérifier la cuisson d'une grosse pièce (gros poulet, poularde, dinde) est indispensable : piquer la face intérieure de la cuisse avec une aiguille à brider à l'endroit où elle se rattache au corps. Si le jus perle rose, poursuivre la cuisson. Lorsqu'il perle incolore, la volaille est à point. S'il ne perle plus, il y a déjà surcuisson, avec début de dessèchement.

Attention : le canard est une volaille qui se sert rosée, donc à goutte de sang également rosée.

WOK

Cet ustensile de cuisine est vendu avec un socle, qui permet de le maintenir en place de façon stable au-dessus de la source de chaleur. Ce socle est composé de deux cercles de fer de diamètres différents, reliés entre eux par des barres transversales ; pour une bonne utilisation du wok, placer le diamètre le plus large vers le bas sur une cuisinière à gaz.

INDEX

ACHEVÉ D'IMPRIMER EN AVRIL 1994
SUR LES PRESSES DE L'IMPRIMERIE HÉRISSEY
POUR LE COMPTE DE FRANCE LOISIRS
123, BOULEVARD DE GRENELLE, PARIS

Dépôt légal : Février 1994
N° d'éditeur : 23882 – N° d'imprimeur : 65087
Imprimé en France